개념 ✕ 유형은
다양한 유형 학습을 통해
개념을 완성시키는
솔루션입니다.

연구진

이동환_ 부산교육대학교 교수
이상욱_ 풍산자수학연구소 책임연구원

집필진

강연주_ 상도 뉴스터디, 풍산자수학연구소 연구위원
김규상_ 광명 더옳은수학, 풍산자수학연구소 연구위원
김명중_ 상도 뉴스터디, 풍산자수학연구소 연구위원
설성환_ 광명 더옳은수학, 풍산자수학연구소 연구위원
이지은_ 부산 하이매쓰, 풍산자수학연구소 연구위원
윤형은_ 상도 뉴스터디, 풍산자수학연구소 연구위원

교과서 속 **유형**을 빠르게!

풍산자

개념 × 유형

초등 **수학 6-2**

구성과 특징

개념 이해

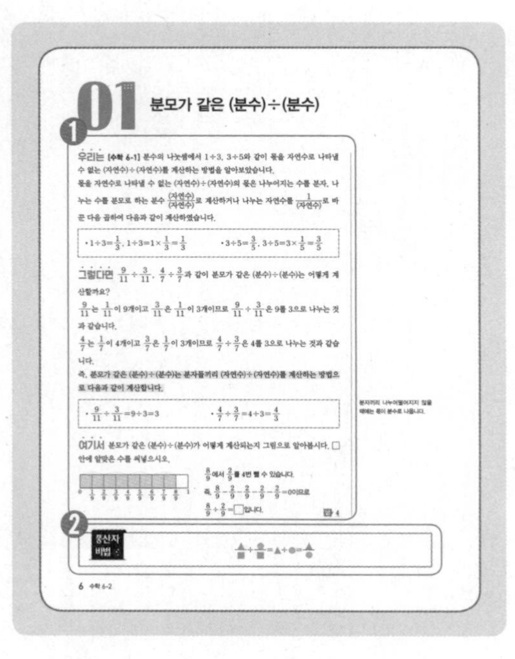

❶ 이미 배운 내용으로 앞으로 배울 내용을 자연스럽게 연계한 개념학습으로 읽으면서 이해할 수 있도록 개념을 설명했어요.

❷ 읽으면서 이해한 개념을 풍산자만의 비법으로 한눈에 정리할 수 있도록 하였습니다.

3단계 문제 해결

1단계 교과서 + 익힘책 유형

교과서와 익힘책에 있는 다양한 문제를 풀어보며 배운 개념을 문제에 적용해요.

2단계 교과서 + 익힘책 응용 유형

교과서와 익힘책에 있는 유형을 응용한 문제를 풀어보며 문제 해결력을 높여요.

초등 풍산자 개념×유형의 포인트

1 읽으면서 이해되는 개념
이미 학습한 개념을 바탕으로 앞으로 배울 개념을 자연스럽게 배웁니다.

2 꼭 필요한 핵심 개념 수록
교과서 단원을 재구성한 핵심 개념으로 수학을 가장 빠르고 쉽게 익힙니다.

3 학습에 가장 효율적인 3단계 문제
유형의 3단계 문제 구성으로 수학 실력이 단계적으로 상승합니다.

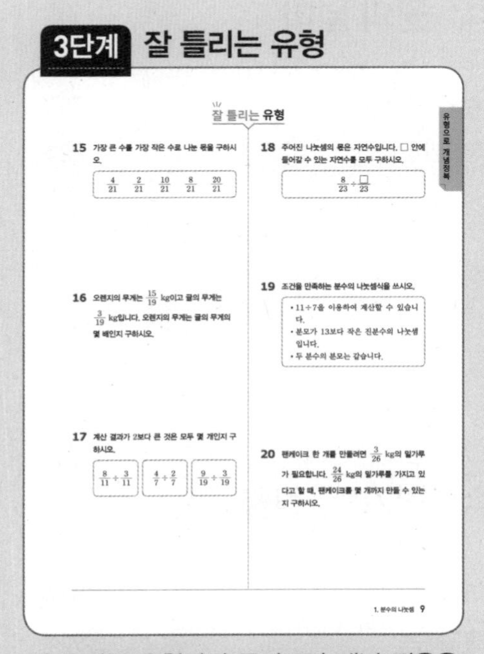
3단계 잘 틀리는 유형

잘 틀리는 유형

15 가장 큰 수를 가장 작은 수로 나눈 몫을 구하시오.

$\frac{4}{21}$ $\frac{2}{21}$ $\frac{10}{21}$ $\frac{8}{21}$ $\frac{20}{21}$

16 오렌지의 무게는 $\frac{15}{19}$ kg이고 귤의 무게는 $\frac{3}{19}$ kg입니다. 오렌지의 무게는 귤의 무게의 몇 배인지 구하시오.

17 계산 결과가 2보다 큰 것은 모두 몇 개인지 구하시오.

$\frac{8}{11} \div \frac{3}{11}$ $\frac{4}{7} \div \frac{2}{7}$ $\frac{9}{19} \div \frac{3}{19}$

18 주어진 나눗셈의 몫은 자연수입니다. □ 안에 들어갈 수 있는 자연수를 모두 구하시오.

$\frac{8}{23} \div \frac{□}{23}$

19 조건을 만족하는 분수의 나눗셈식을 쓰시오.

- 11÷7을 이용하여 계산할 수 있습니다.
- 분모가 13보다 작은 진분수의 나눗셈입니다.
- 두 분수의 분모는 같습니다.

20 팬케이크 한 개를 만들려면 $\frac{3}{26}$ kg의 밀가루가 필요합니다. $\frac{24}{26}$ kg의 밀가루를 가지고 있다고 할 때, 팬케이크를 몇 개까지 만들 수 있는지 구하시오.

유형으로 개념정복

1. 분수의 나눗셈 9

잘 틀리는 유형까지 풀어보며 개념 적용을 완벽하게 완성해요.

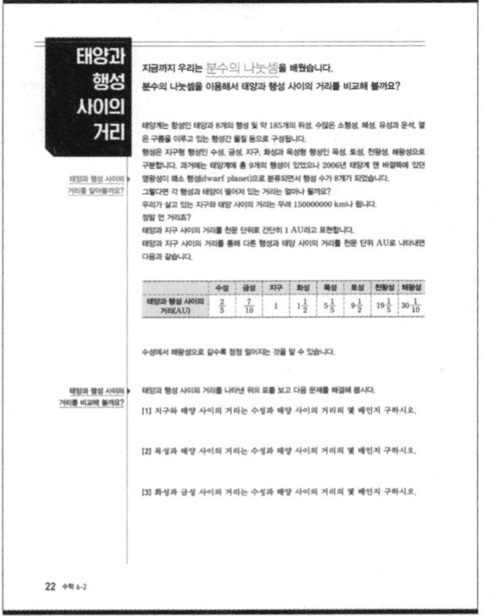
태양과 행성 사이의 거리

지금까지 우리는 분수의 나눗셈을 배웠습니다.
분수의 나눗셈을 이용해서 태양과 행성 사이의 거리를 비교해 볼까요?

태양과 행성 사이의 거리를 알아볼까요?

태양계는 항성인 태양과 8개의 행성 및 약 185개의 위성, 수많은 소행성, 혜성, 유성과 운석, 열은 구름을 이루고 있는 행성간 물질 등으로 구성됩니다.
행성은 지구형 행성인 수성, 금성, 지구, 화성과 목성형 행성인 목성, 토성, 천왕성, 해왕성으로 구분합니다. 과거에는 태양계에 총 9개의 행성이 있었으나 2006년 태양계 맨 바깥쪽에 있던 명왕성이 왜소 행성(dwarf planet)으로 분류되면서 행성 수가 8개가 되었습니다.
그렇다면 각 행성과 태양이 떨어져 있는 거리는 얼마나 될까요?
우리가 살고 있는 지구와 태양 사이의 거리는 무려 150000000 km나 됩니다.
정말 먼 거리죠?
태양과 지구 사이의 거리를 천문 단위로 간단히 1 AU라고 표현합니다.
태양과 지구 사이의 거리를 통해 다른 행성과 태양 사이의 거리를 천문 단위 AU로 나타내면 다음과 같습니다.

	수성	금성	지구	화성	목성	토성	천왕성	해왕성
태양과 행성 사이의 거리(AU)	$\frac{2}{5}$	$\frac{7}{10}$	1	$1\frac{1}{2}$	$5\frac{1}{5}$	$9\frac{1}{2}$	$19\frac{1}{5}$	$30\frac{1}{10}$

수성에서 해왕성으로 갈수록 점점 멀어지는 것을 알 수 있습니다.

태양과 행성 사이의 거리를 비교해 볼까요?

태양과 행성 사이의 거리를 나타낸 위의 표를 보고 다음 문제를 해결해 봅시다.

[1] 지구와 태양 사이의 거리는 수성과 태양 사이의 거리의 몇 배인지 구하시오.

[2] 목성과 태양 사이의 거리는 수성과 태양 사이의 거리의 몇 배인지 구하시오.

[3] 화성과 금성 사이의 거리는 수성과 태양 사이의 거리의 몇 배인지 구하시오.

22 수학 6-2

단원별로 배운 개념에서 확장한 문제와 흥미로운 이야기를 담았어요.

차례

1 ::: 분수의 나눗셈

2 ::: 소수의 나눗셈

3 ::: 공간과 입체

4 ::: 비례식과 비례배분

5 ::: 원의 넓이

6 ::: 원기둥, 원뿔, 구

1

분수의 나눗셈

공부할 내용	공부한 날
01 분모가 같은 (분수)÷(분수)	월 일
02 분모가 다른 (분수)÷(분수)	월 일
03 (자연수)÷(분수)	월 일
04 (분수)÷(분수)	월 일

01 분모가 같은 (분수)÷(분수)

우리는 **[수학 6-1]** 분수의 나눗셈에서 $1 \div 3$, $3 \div 5$와 같이 몫을 자연수로 나타낼 수 없는 (자연수)÷(자연수)를 계산하는 방법을 알아보았습니다.

몫을 자연수로 나타낼 수 없는 (자연수)÷(자연수)의 몫은 나누어지는 수를 분자, 나누는 수를 분모로 하는 분수 $\frac{(\text{자연수})}{(\text{자연수})}$로 계산하거나 나누는 자연수를 $\frac{1}{(\text{자연수})}$로 바꾼 다음 곱하여 다음과 같이 계산하였습니다.

- $1 \div 3 = \frac{1}{3}$, $1 \div 3 = 1 \times \frac{1}{3} = \frac{1}{3}$
- $3 \div 5 = \frac{3}{5}$, $3 \div 5 = 3 \times \frac{1}{5} = \frac{3}{5}$

그렇다면 $\frac{9}{11} \div \frac{3}{11}$, $\frac{4}{7} \div \frac{3}{7}$과 같이 분모가 같은 (분수)÷(분수)는 어떻게 계산할까요?

$\frac{9}{11}$는 $\frac{1}{11}$이 9개이고 $\frac{3}{11}$은 $\frac{1}{11}$이 3개이므로 $\frac{9}{11} \div \frac{3}{11}$은 9를 3으로 나누는 것과 같습니다.

$\frac{4}{7}$는 $\frac{1}{7}$이 4개이고 $\frac{3}{7}$은 $\frac{1}{7}$이 3개이므로 $\frac{4}{7} \div \frac{3}{7}$은 4를 3으로 나누는 것과 같습니다.

즉, 분모가 같은 (분수)÷(분수)는 분자들끼리 (자연수)÷(자연수)를 계산하는 방법으로 다음과 같이 계산합니다.

- $\frac{9}{11} \div \frac{3}{11} = 9 \div 3 = 3$
- $\frac{4}{7} \div \frac{3}{7} = 4 \div 3 = \frac{4}{3}$

분자끼리 나누어떨어지지 않을 때에는 몫이 분수로 나옵니다.

여기서 분모가 같은 (분수)÷(분수)가 어떻게 계산되는지 그림으로 알아봅시다. □ 안에 알맞은 수를 써넣으시오.

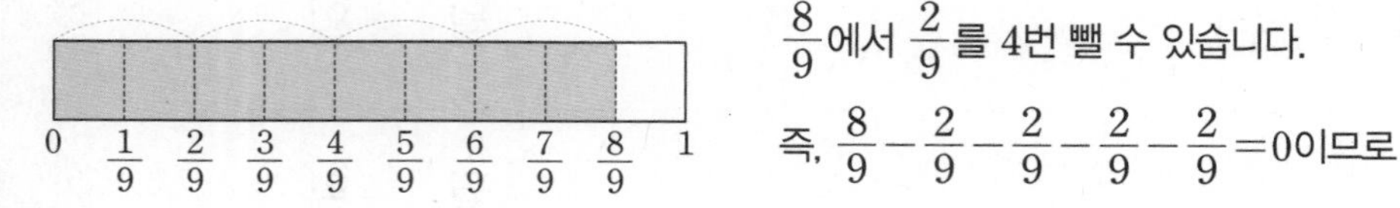

$\frac{8}{9}$에서 $\frac{2}{9}$를 4번 뺄 수 있습니다.

즉, $\frac{8}{9} - \frac{2}{9} - \frac{2}{9} - \frac{2}{9} - \frac{2}{9} = 0$이므로

$\frac{8}{9} \div \frac{2}{9} =$ □입니다.

답 4

풍산자 비법

$$\frac{▲}{■} \div \frac{●}{■} = ▲ \div ● = \frac{▲}{●}$$

교과서 + 익힘책 유형

01 그림을 보고 □ 안에 알맞은 수를 써넣으시오.

0 $\frac{1}{7}$ $\frac{2}{7}$ $\frac{3}{7}$ $\frac{4}{7}$ $\frac{5}{7}$ $\frac{6}{7}$ 1

$\frac{6}{7}$에서 $\frac{1}{7}$을 □번 덜어 낼 수 있습니다.

$\frac{6}{7} \div \frac{1}{7} = \square \div 1 = \square$

02 □ 안에 알맞은 수를 써넣으시오.

$\frac{8}{11}$은 $\frac{1}{11}$이 □개이고

$\frac{4}{11}$는 $\frac{1}{11}$이 □개이므로

$\frac{8}{11} \div \frac{4}{11} = \square$입니다.

03 다음을 계산하시오.

(1) $\frac{3}{5} \div \frac{1}{5}$

(2) $\frac{4}{7} \div \frac{2}{7}$

(3) $\frac{8}{9} \div \frac{5}{9}$

(4) $\frac{10}{13} \div \frac{7}{13}$

04 빈칸에 알맞은 수를 써넣으시오.

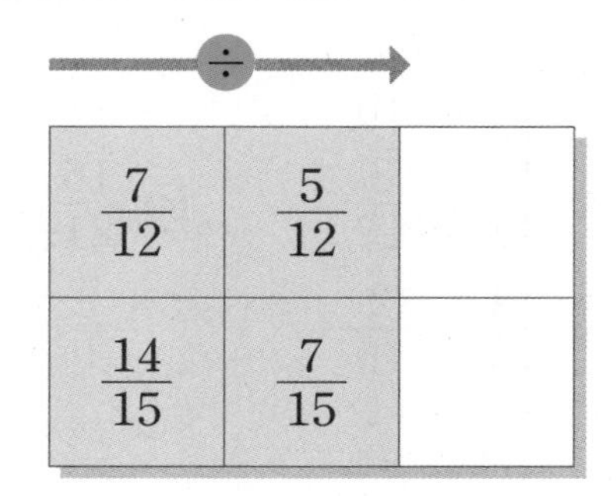

05 관계있는 것끼리 이어 보시오.

$\frac{26}{27} \div \frac{2}{27}$ •	• $8 \div 4$ •	• 4
$\frac{8}{21} \div \frac{4}{21}$ •	• $28 \div 7$ •	• 2
$\frac{28}{31} \div \frac{7}{31}$ •	• $26 \div 2$ •	• 13

06 계산 결과를 비교하여 ○ 안에 >, =, <를 알맞게 써넣으시오.

$\frac{6}{11} \div \frac{3}{11}$ ○ $\frac{4}{9} \div \frac{2}{9}$

교과서 + 익힘책 응용 유형

07 계산 결과가 가장 작은 것은 어느 것입니까?

① $\frac{7}{10} \div \frac{1}{10}$　② $\frac{12}{17} \div \frac{2}{17}$

③ $\frac{15}{17} \div \frac{3}{17}$　④ $\frac{16}{21} \div \frac{4}{21}$

⑤ $\frac{14}{15} \div \frac{2}{15}$

08 두 나눗셈의 몫의 차를 구하시오.

$\frac{6}{13} \div \frac{3}{13}$　　$\frac{16}{19} \div \frac{12}{19}$

09 수직선을 보고 ㉡÷㉠의 몫을 구하시오.

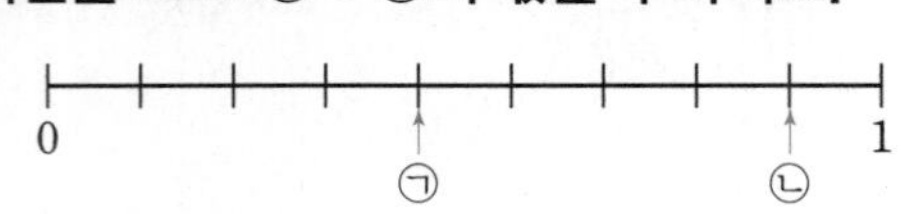

10 계산 결과가 큰 것부터 차례대로 기호를 쓰시오.

㉠ $\frac{12}{13} \div \frac{1}{13}$　㉡ $\frac{4}{5} \div \frac{2}{5}$　㉢ $\frac{9}{14} \div \frac{3}{14}$

11 가장 큰 수를 가장 작은 수로 나눈 몫을 구하시오.

$\frac{4}{27}$　$\frac{14}{27}$　$\frac{8}{27}$　$\frac{22}{27}$

12 계산 결과가 다른 것을 찾아 기호를 쓰시오.

㉠ $\frac{5}{7} \div \frac{1}{7}$　㉡ $\frac{25}{27} \div \frac{5}{27}$

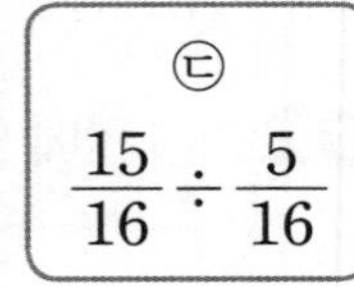
㉢ $\frac{15}{16} \div \frac{5}{16}$

13 미진이는 $\frac{32}{35}$ m의 리본을 $\frac{4}{35}$ m씩 자르려고 합니다. 리본은 몇 도막이 되는지 구하시오.

14 우유가 $\frac{8}{13}$ L 있습니다. 한 사람이 $\frac{2}{13}$ L씩 우유를 마신다면 모두 몇 명이 마실 수 있는지 구하시오.

잘 틀리는 유형

15 가장 큰 수를 가장 작은 수로 나눈 몫을 구하시오.

$\frac{4}{21}$ $\frac{2}{21}$ $\frac{10}{21}$ $\frac{8}{21}$ $\frac{20}{21}$

16 오렌지의 무게는 $\frac{15}{19}$ kg이고 귤의 무게는 $\frac{3}{19}$ kg입니다. 오렌지의 무게는 귤의 무게의 몇 배인지 구하시오.

17 계산 결과가 2보다 큰 것은 모두 몇 개인지 구하시오.

$\frac{8}{11} \div \frac{3}{11}$ $\frac{4}{7} \div \frac{2}{7}$ $\frac{9}{19} \div \frac{3}{19}$

18 주어진 나눗셈의 몫은 자연수입니다. □ 안에 들어갈 수 있는 자연수를 모두 구하시오.

$\frac{8}{23} \div \frac{\square}{23}$

19 조건을 만족하는 분수의 나눗셈식을 쓰시오.

- $11 \div 7$을 이용하여 계산할 수 있습니다.
- 분모가 13보다 작은 진분수의 나눗셈입니다.
- 두 분수의 분모는 같습니다.

20 팬케이크 한 개를 만들려면 $\frac{3}{26}$ kg의 밀가루가 필요합니다. $\frac{24}{26}$ kg의 밀가루를 가지고 있다고 할 때, 팬케이크를 몇 개까지 만들 수 있는지 구하시오.

02 분모가 다른 (분수)÷(분수)

우리는 앞 단원에서 $\frac{4}{5}\div\frac{2}{5}$, $\frac{9}{12}\div\frac{4}{12}$와 같이 분모가 같은 (분수)÷(분수)를 계산하는 방법을 알아보았습니다. 분모가 같은 (분수)÷(분수)는 분자들끼리 (자연수)÷(자연수)를 계산하는 방법으로 다음과 같이 계산하였습니다.

- $\frac{4}{5}\div\frac{2}{5}=4\div2=2$
- $\frac{9}{12}\div\frac{4}{12}=9\div4=\frac{9}{4}$

그렇다면 $\frac{3}{4}\div\frac{3}{8}$, $\frac{2}{3}\div\frac{5}{7}$와 같이 분모가 다른 (분수)÷(분수)는 어떻게 계산할까요?

$\frac{3}{4}\div\frac{3}{8}$에서 두 분수의 분모를 같게 만들기 위해 $\frac{3}{4}$을 $\frac{6}{8}$으로 바꾸면 $\frac{6}{8}$은 $\frac{1}{8}$이 6개이고 $\frac{3}{8}$은 $\frac{1}{8}$이 3개이므로 $\frac{3}{4}\div\frac{3}{8}$은 6을 3으로 나누는 것과 같습니다.

$\frac{2}{3}\div\frac{5}{7}$에서 두 분수의 분모를 같게 만들기 위해 $\frac{2}{3}$를 $\frac{14}{21}$로, $\frac{5}{7}$를 $\frac{15}{21}$로 바꾸면 $\frac{14}{21}$는 $\frac{1}{21}$이 14개이고 $\frac{15}{21}$는 $\frac{1}{21}$이 15개이므로 $\frac{2}{3}\div\frac{5}{7}$는 14를 15로 나누는 것과 같습니다.

즉, 분모가 다른 (분수)÷(분수)는 두 분수를 통분하여 분모가 같은 (분수)÷(분수)를 계산하는 방법으로 다음과 같이 계산합니다.

- $\frac{3}{4}\div\frac{3}{8}=\frac{6}{8}\div\frac{3}{8}=6\div3=2$
- $\frac{2}{3}\div\frac{5}{7}=\frac{14}{21}\div\frac{15}{21}=14\div15=\frac{14}{15}$

두 분수를 통분할 때에는 두 분모의 곱 또는 두 분모의 최소공배수를 공통분모로 하여 통분합니다.

여기서 분모가 다른 (분수)÷(분수)가 어떻게 계산되는지 그림으로 알아봅시다. □ 안에 알맞은 수를 써넣으시오.

$\frac{1}{4}$	$\frac{1}{4}$	$\frac{1}{4}$	$\frac{1}{4}$

$\frac{1}{8}$	$\frac{1}{8}$	$\frac{1}{8}$	$\frac{1}{8}$	$\frac{1}{8}$	$\frac{1}{8}$	$\frac{1}{8}$	$\frac{1}{8}$

$\frac{3}{4}=\frac{6}{8}$에서 $\frac{3}{4}$은 $\frac{1}{8}$이 6개인 수이므로

$\frac{3}{4}$에서 $\frac{3}{8}$을 $6\div3=2$(번) 뺄 수 있습니다.

즉, $\frac{3}{4}\div\frac{3}{8}=$□입니다.

답 2

풍산자 비법 분모가 다른 (분수)÷(분수) ⇨ 통분하여 분모가 같은 (분수)÷(분수)로 바꾸어 계산한다.

교과서 + 익힘책 유형

01 그림을 보고 □ 안에 알맞은 수를 써넣으시오.

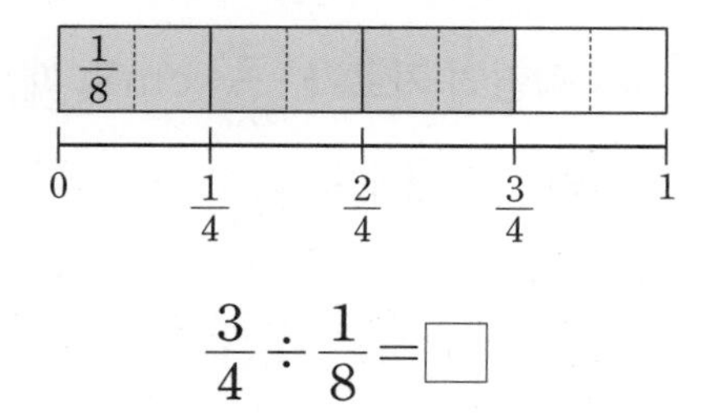

$\frac{3}{4} \div \frac{1}{8} = \square$

02 $\frac{3}{8} \div \frac{7}{12}$을 보기와 같은 방법으로 계산하시오.

보기

$\frac{5}{7} \div \frac{3}{4} = \frac{20}{28} \div \frac{21}{28} = 20 \div 21 = \frac{20}{21}$

03 다음을 계산하시오.

(1) $\frac{3}{4} \div \frac{1}{12}$

(2) $\frac{5}{6} \div \frac{7}{30}$

(3) $\frac{3}{7} \div \frac{5}{14}$

(4) $\frac{2}{5} \div \frac{4}{15}$

04 관계있는 것끼리 이어 보시오.

$\frac{8}{9} \div \frac{1}{3}$	$8 \div 3$	$\frac{8}{3}$
$\frac{1}{12} \div \frac{7}{36}$	$3 \div 7$	$\frac{24}{35}$
$\frac{3}{7} \div \frac{5}{8}$	$24 \div 35$	$\frac{3}{7}$

05 빈칸에 알맞은 수를 써넣으시오.

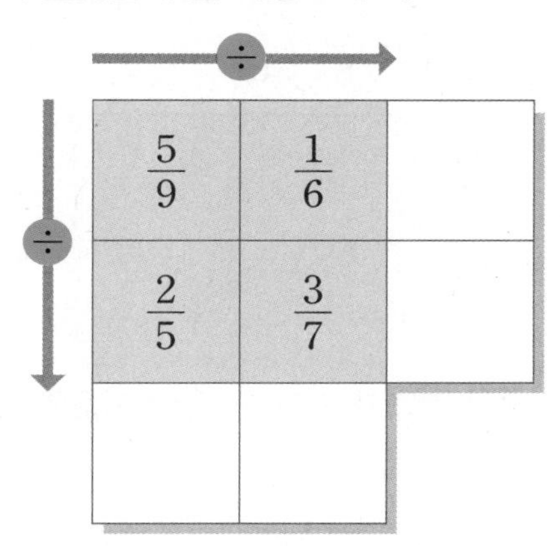

06 계산 결과를 비교하여 ○ 안에 >, =, <를 알맞게 써넣으시오.

$\frac{2}{5} \div \frac{7}{12} \bigcirc \frac{3}{4} \div \frac{2}{7}$

교과서 + 익힘책 응용 유형

07 계산 결과가 1보다 작은 것의 기호를 쓰시오.

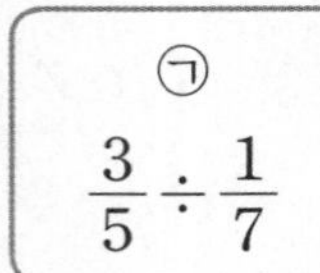

㉠ $\frac{3}{5} \div \frac{1}{7}$

㉡ $\frac{5}{6} \div \frac{4}{9}$

㉢ $\frac{2}{9} \div \frac{4}{11}$

08 바르게 계산한 것을 찾아 기호를 쓰시오.

㉠ $\frac{5}{6} \div \frac{3}{4} = 1\frac{1}{9}$

㉡ $\frac{6}{7} \div \frac{2}{3} = 1\frac{1}{7}$

㉢ $\frac{3}{4} \div \frac{7}{8} = \frac{7}{6}$

09 계산 결과가 가장 큰 것의 기호를 쓰시오.

㉠ $\frac{3}{11} \div \frac{7}{22}$

㉡ $\frac{5}{13} \div \frac{7}{26}$

㉢ $\frac{4}{45} \div \frac{7}{15}$

10 큰 수를 작은 수로 나눈 몫을 구하시오.

$\frac{6}{7}$ $\frac{12}{13}$

11 넓이가 $\frac{6}{13}$ cm^2인 직사각형이 있습니다. 이 직사각형의 가로가 $\frac{4}{39}$ cm일 때, 세로는 몇 cm인지 구하시오.

12 □ 안에 알맞은 수를 써넣으시오.

$\square \times \frac{8}{21} = \frac{6}{7}$

13 어떤 수에 $\frac{5}{6}$를 곱했더니 $\frac{4}{15}$가 되었습니다. 어떤 수를 구하시오.

잘 틀리는 유형

14 넓이가 $\frac{8}{9}$ cm^2인 평행사변형이 있습니다. 평행사변형의 높이는 몇 cm인지 구하시오.

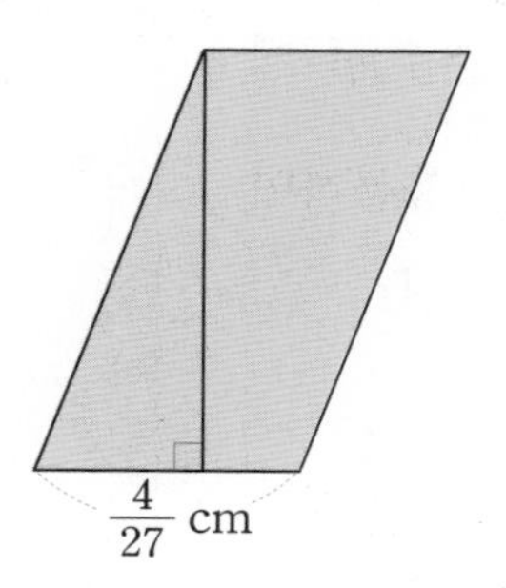

15 계산이 잘못된 것의 기호를 쓰고, 바르게 계산한 값을 구하시오.

㉠ $\frac{4}{7} \div \frac{2}{9} = \frac{7}{18}$	㉡ $\frac{3}{4} \div \frac{5}{9} = 1\frac{7}{20}$

16 1에서 9까지의 자연수 중에서 □ 안에 들어갈 수 있는 수를 모두 구하시오.

$$\square < \frac{25}{27} \div \frac{13}{54}$$

17 유리는 음료수의 $\frac{3}{7}$을 마셨고, 혜지는 음료수의 $\frac{2}{9}$를 마셨습니다. 유리가 마신 음료수의 양은 혜지가 마신 음료수의 양의 몇 배인지 구하시오.

18 어느 장난감 자동차는 $\frac{7}{16}$ m를 가는 데 $\frac{5}{24}$분이 걸립니다. 이 장난감 자동차가 같은 속도로 움직인다면 1분 동안 갈 수 있는 거리는 몇 m인지 구하시오.

19 어떤 수를 $\frac{9}{14}$로 나누어야 할 것을 잘못하여 곱했더니 $\frac{6}{7}$이 되었습니다. 바르게 계산한 값을 구하시오.

03 (자연수)÷(분수)

우리는 앞 단원에서 $\frac{5}{6}\div\frac{5}{12}$, $\frac{2}{5}\div\frac{3}{4}$과 같이 분모가 다른 (분수)÷(분수)를 계산하는 방법을 알아보았습니다. 분모가 다른 (분수)÷(분수)는 두 분수를 통분하여 분모가 같은 (분수)÷(분수)를 계산하는 방법으로 다음과 같이 계산하였습니다.

- $\frac{5}{6}\div\frac{5}{12}=\frac{10}{12}\div\frac{5}{12}=10\div5=2$
- $\frac{2}{5}\div\frac{3}{4}=\frac{8}{20}\div\frac{15}{20}=8\div15=\frac{8}{15}$

그렇다면 $6\div\frac{2}{5}$와 같은 (자연수)÷(분수)는 어떻게 계산할까요?

조개 6 kg을 캐는 데 $\frac{2}{5}$시간이 걸렸을 때 1시간 동안 캘 수 있는 조개의 무게를 구하는 식은 $6\div\frac{2}{5}$로 나타낼 수 있습니다.

조개 6 kg을 캐는 데 2시간이 걸렸을 때 1시간 동안 캘 수 있는 조개의 무게를 구하는 식은 $6\div2$로 나타낼 수 있습니다.

1시간 동안 캘 수 있는 조개의 무게를 구하기 위해서 먼저 $\frac{1}{5}$시간 동안 캘 수 있는 조개의 무게를 구해 보면 $6\div2=3$(kg)이고, 1시간 동안 캘 수 있는 조개의 무게는 $\frac{1}{5}$시간 동안 캘 수 있는 조개의 무게의 5배이므로 $3\times5=15$(kg)입니다.

즉, (자연수)÷(분수)는 (자연수)÷(분수의 분자)×(분수의 분모)로 다음과 같이 계산할 수 있습니다.

$$6\div\frac{2}{5}=(6\div2)\times5=3\times5=15$$

(자연수)÷(분수)는 자연수를 분수로 나타내어 분모가 같은 (분수)÷(분수)를 계산하는 방법으로 다음과 같이 계산할 수도 있습니다.

$6\div\frac{2}{5}=\frac{30}{5}\div\frac{2}{5}$
$=30\div2=15$

여기서 분모가 다른 (자연수)÷(분수)가 어떻게 계산되는지 그림으로 알아봅시다.

□ 안에 알맞은 수를 써넣으시오.

$\frac{1}{5}$	$\frac{1}{5}$	$\frac{1}{5}$	$\frac{1}{5}$	$\frac{1}{5}$	$\frac{1}{5}$	$\frac{1}{5}$	$\frac{1}{5}$	$\frac{1}{5}$	$\frac{1}{5}$

0 1 2

$\frac{2}{5}$를 한 묶음으로 볼 때 2에는 $\frac{2}{5}$가 5묶음 들어 있으므로 $2\div\frac{2}{5}=\square$입니다.

답 5

풍산자 비법

$$\blacktriangle\div\frac{\bullet}{\blacksquare}=(\blacktriangle\div\bullet)\times\blacksquare$$

교과서 + 익힘책 유형

01 메론 $\frac{3}{4}$통의 무게가 6 kg일 때, 메론 1통의 무게를 구하려고 합니다. □ 안에 알맞은 수를 써넣으시오.

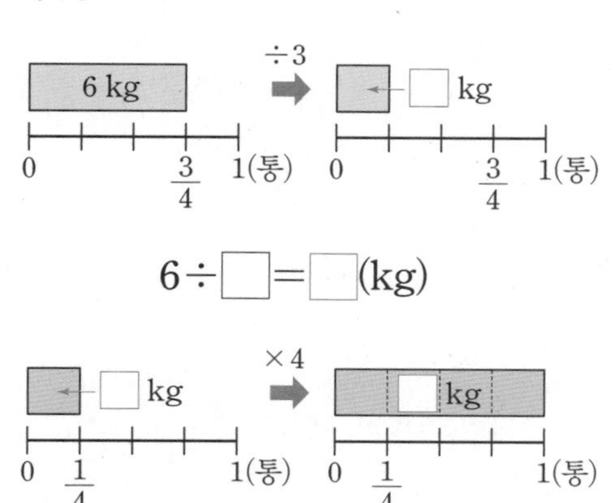

$6 \div \square = \square$(kg)

$\square \times \square = \square$(kg)

02 $8 \div \frac{2}{3}$를 계산하는 과정입니다. □ 안에 알맞은 수를 써넣으시오.

$$8 \div \frac{2}{3} = (8 \div \square) \times \square = \square$$

03 다음을 계산하시오.

(1) $6 \div \frac{3}{4}$

(2) $8 \div \frac{2}{6}$

(3) $15 \div \frac{5}{7}$

(4) $21 \div \frac{7}{32}$

04 계산 결과를 찾아 이어 보시오.

$24 \div \frac{6}{7}$ •	• 49
$35 \div \frac{5}{7}$ •	• 28

05 빈칸에 알맞은 수를 써넣으시오.

8	$\div \frac{2}{5}$		$\div \frac{4}{5}$	

06 계산 결과를 비교하여 ○ 안에 >, =, <를 알맞게 써넣으시오.

$$45 \div \frac{9}{13} \bigcirc 16 \div \frac{4}{17}$$

교과서 + 익힘책 응용 유형

07 계산 결과가 큰 것부터 차례대로 기호를 쓰시오.

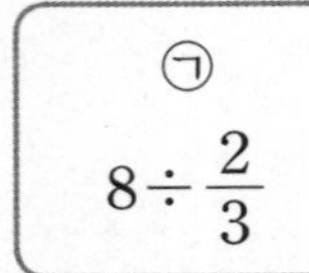
㉠ $8 \div \frac{2}{3}$

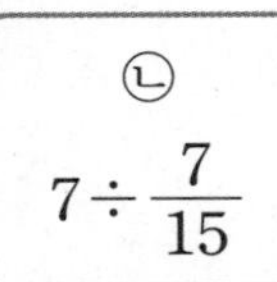
㉡ $7 \div \frac{7}{15}$

㉢ $9 \div \frac{3}{7}$

08 빈칸에 알맞은 수를 써넣으시오.

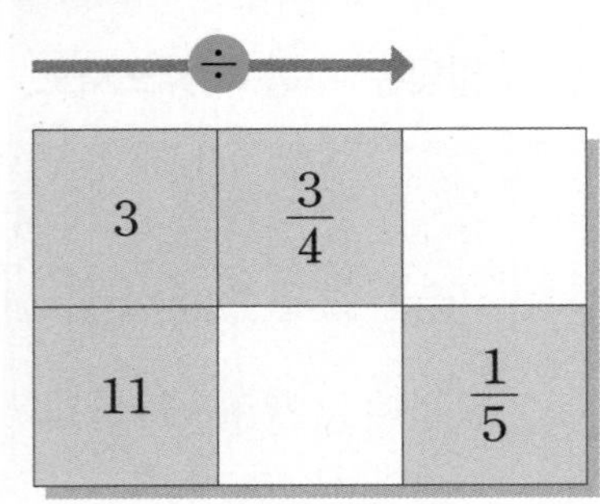

09 계산 결과가 가장 큰 것을 찾아 기호를 쓰시오.

㉠	㉡	㉢
$32 \div \frac{4}{9}$	$42 \div \frac{7}{15}$	$48 \div \frac{8}{9}$

10 ㉠+㉡을 구하시오.

㉠ $24 \div \frac{8}{9}$ ㉡ $18 \div \frac{3}{7}$

11 □ 안에 들어갈 수 있는 자연수를 모두 구하시오.

$$6 \div \frac{2}{7} < \square < 8 \div \frac{1}{3}$$

12 길이가 49 m인 끈을 $\frac{7}{11}$ m씩 잘라 상자를 묶으려고 합니다. 상자를 모두 몇 개 묶을 수 있는지 구하시오.

잘 틀리는 유형

13 □ 안에 알맞은 수가 다른 것을 찾아 기호를 쓰시오.

㉠ $5 \div \frac{1}{\square} = 20$ ㉡ $\square \div \frac{1}{4} = 16$

㉢ $\square \div \frac{1}{8} = 32$ ㉣ $9 \div \frac{1}{\square} = 27$

14 넓이가 $7\ \mathrm{m}^2$인 직사각형 모양의 화단이 있습니다. 화단의 세로가 $\frac{7}{15}$ m일 때, 가로는 몇 m인지 구하시오.

15 정오각형에서 색칠한 부분의 넓이가 $12\ \mathrm{cm}^2$일 때 도형 전체의 넓이는 몇 cm^2인지 구하시오.

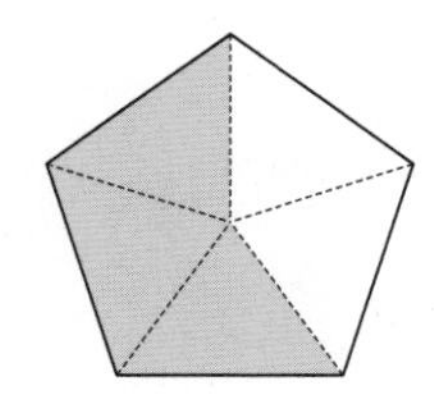

16 어떤 수에 $\frac{7}{9}$을 곱하였더니 21이 되었습니다. 어떤 수를 구하시오.

17 □ 안에 들어갈 수 있는 가장 큰 자연수를 구하시오.

$10 \div \frac{5}{6} > \square$

18 자동차로 40 km를 달리는 데 50분이 걸렸습니다. 같은 빠르기로 달린다면 2시간 동안 몇 km를 달릴 수 있는지 구하시오.

04 (분수)÷(분수)

우리는 [수학 6-1] 분수의 나눗셈에서 $\frac{8}{11}\div 4$, $\frac{5}{7}\div 2$와 같은 (분수)÷(자연수)를 계산하는 방법을 알아보았습니다.

(분수)÷(자연수)는 자연수를 $\frac{1}{(\text{자연수})}$로 바꾼 다음 곱하여 계산하였습니다.

$\frac{8}{11}\div 4=\frac{\overset{2}{\cancel{8}}}{11}\times\frac{1}{\underset{1}{\cancel{4}}}=\frac{2}{11}$

$\frac{5}{7}\div 2=\frac{5}{7}\times\frac{1}{2}=\frac{5}{14}$

그렇다면 $\frac{4}{9}\div\frac{2}{5}$와 같은 (분수)÷(분수)도 곱셈으로 바꾸어 계산할 수 있을까요?

(분수)÷(자연수)에서 $\frac{(\text{자연수})}{1}$의 분모와 분자를 바꾼 다음 나눗셈을 곱셈으로 고쳐서 계산한 것과 같은 방법으로 (분수)÷(분수)도 나눗셈을 곱셈으로 고치고 나누는 분수의 분모와 분자를 바꾸어 다음과 같이 계산합니다.

$$\frac{4}{9}\div\frac{2}{5}=\frac{\overset{2}{\cancel{4}}}{9}\times\frac{5}{\underset{1}{\cancel{2}}}=\frac{10}{9}$$

즉, (자연수)÷(분수), (가분수)÷(분수), (대분수)÷(분수)는 나누는 분수의 분모와 분자를 바꾸어 다음과 같이 곱셈으로 계산할 수 있습니다.

- $6\div\frac{2}{3}=\overset{3}{\cancel{6}}\times\frac{3}{\underset{1}{\cancel{2}}}=9$
- $\frac{5}{2}\div\frac{5}{8}=\frac{\overset{1}{\cancel{5}}}{\underset{1}{\cancel{2}}}\times\frac{\overset{4}{\cancel{8}}}{\underset{1}{\cancel{5}}}=4$
- $1\frac{1}{3}\div\frac{3}{4}=\frac{4}{3}\div\frac{3}{4}=\frac{4}{3}\times\frac{4}{3}=\frac{16}{9}$

(대분수)÷(분수)는 대분수를 가분수로 바꾸어 계산합니다.

여기서 (대분수)÷(분수)의 계산이 잘못되는 경우를 알아봅시다. □ 안에 알맞은 수를 써넣으시오.

$$4\frac{4}{9}\div\frac{8}{11}=4\frac{\overset{1}{\cancel{4}}}{9}\times\frac{11}{\underset{2}{\cancel{8}}}=4\frac{11}{18}$$

⇨ 대분수를 가분수로 고치지 않고 약분하여 계산했기 때문에 계산이 잘못되었습니다.

⇨ 바르게 계산하면

$4\frac{4}{9}\div\frac{8}{11}=\frac{\overset{5}{\cancel{40}}}{9}\times\frac{11}{\underset{1}{\cancel{8}}}=$ □ 입니다.

답 $\frac{55}{9}$

풍산자 비법

(분수)÷(분수) ⇨ 나누는 분수의 분모와 분자를 바꾸어 나눗셈을 곱셈으로 계산한다.

교과서 + 익힘책 유형

01 $\frac{6}{7}$ km를 걷는 데 $\frac{3}{4}$시간이 걸릴 때, 1시간 동안 갈 수 있는 거리를 구하려고 합니다. □ 안에 알맞은 수를 써넣으시오.

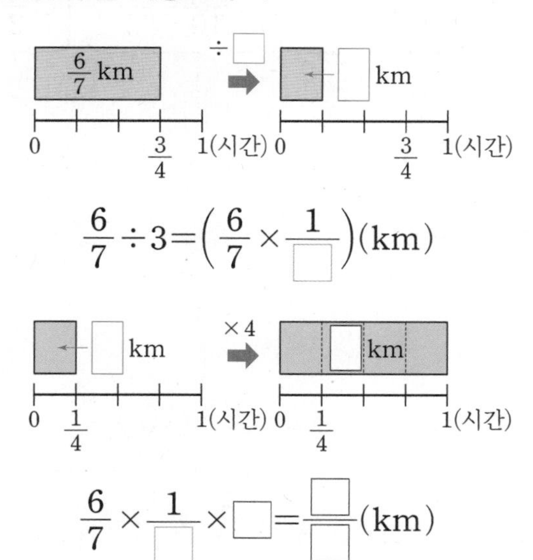

$$\frac{6}{7} \div 3 = \left(\frac{6}{7} \times \frac{1}{\square}\right)(\text{km})$$

×4

km

0 $\frac{1}{4}$ 1(시간)

$$\frac{6}{7} \times \frac{1}{\square} \times \square = \frac{\square}{\square}(\text{km})$$

02 $7 \div \frac{4}{5}$를 두 가지 방법으로 계산한 것입니다. □ 안에 알맞은 수를 써넣으시오.

[방법 1]

$7 \div \frac{4}{5} = \frac{\square}{5} \div \frac{4}{5}$

$= \square \div 4 = \square$

[방법 2]

$7 \div \frac{4}{5} = 7 \times \frac{5}{\square} = \frac{\square}{\square}$

03 빈칸에 알맞은 수를 써넣으시오.

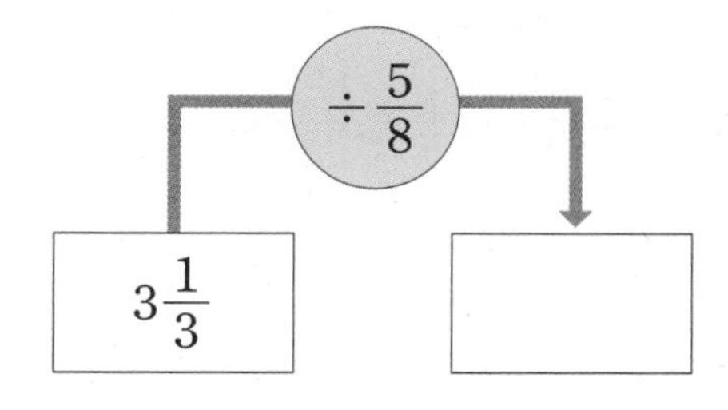

04 다음을 계산하시오.

(1) $\frac{5}{6} \div \frac{1}{6}$

(2) $\frac{16}{15} \div \frac{4}{15}$

(3) $1\frac{1}{2} \div \frac{3}{4}$

(4) $2\frac{2}{3} \div \frac{1}{6}$

05 계산 결과를 비교하여 ○ 안에 >, =, <를 알맞게 써넣으시오.

$1\frac{4}{5} \div \frac{1}{3}$ ○ $\frac{6}{7} \div \frac{2}{21}$

교과서 + 익힘책 응용 유형

06 ㉠은 ㉡의 몇 배인지 구하시오.

㉠ $11\div\frac{1}{2}$	㉡ $2\frac{1}{5}\div\frac{1}{2}$

07 빈칸에 알맞은 수를 써넣으시오.

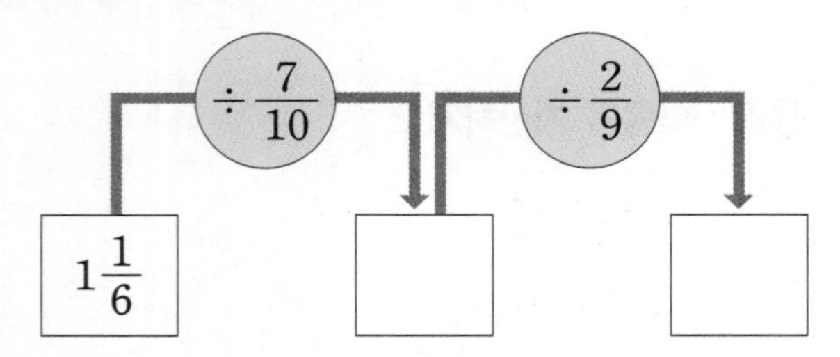

08 잘못 계산한 것을 찾아 기호를 쓰고, 바르게 계산한 값을 구하시오.

㉠ $\frac{3}{7}\div\frac{1}{7}=\frac{3}{7}\times7=3$

㉡ $\frac{8}{9}\div\frac{2}{9}=\frac{8}{9}\times\frac{9}{2}=4$

㉢ $\frac{5}{7}\div\frac{3}{4}=\frac{5}{7}\times\frac{3}{4}=\frac{15}{28}$

㉣ $2\div\frac{4}{5}=2\times\frac{5}{4}=\frac{5}{2}=2\frac{1}{2}$

09 계산 결과가 큰 것부터 차례대로 기호를 쓰시오.

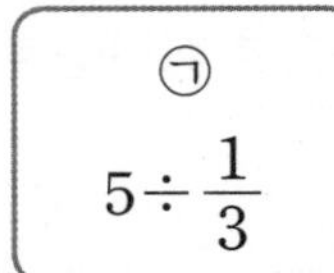
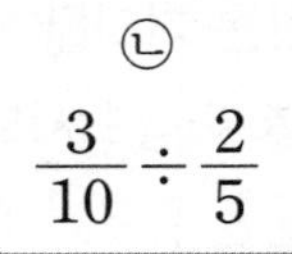
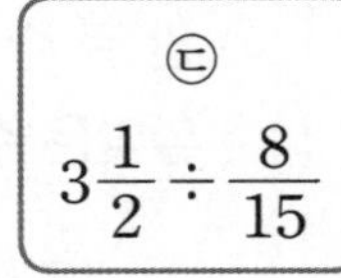

㉠	㉡	㉢
$5\div\frac{1}{3}$	$\frac{3}{10}\div\frac{2}{5}$	$3\frac{1}{2}\div\frac{8}{15}$

10 ㉠+㉡+㉢+㉣을 구하시오.

$$\frac{6}{11}\div\frac{2}{7}=\frac{6}{11}\times\frac{㉠}{㉡}=\frac{㉢}{11}=1\frac{㉣}{11}$$

11 사다리꼴의 넓이가 $3\frac{1}{3}$ cm^2일 때, 높이는 몇 cm인지 구하시오.

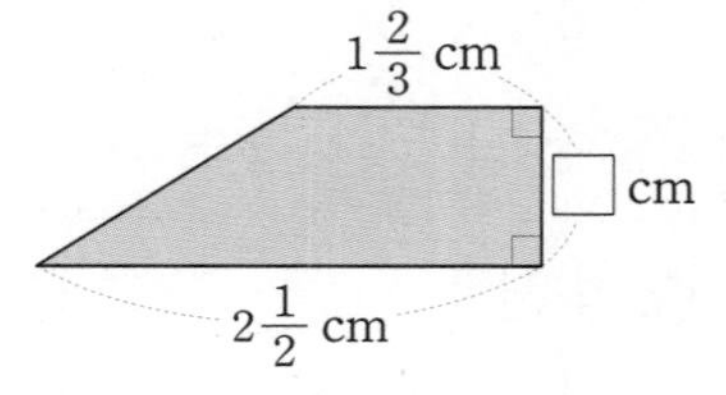

잘 틀리는 유형

12 분수의 나눗셈을 잘못 계산한 것입니다. 계산이 잘못된 부분을 찾아 바르게 계산하시오.

$$\frac{5}{6} \div \frac{7}{12} = \frac{6}{5} \times \frac{12}{7} = \frac{72}{35} = 2\frac{2}{35}$$

13 어떤 수를 $\frac{4}{5}$로 나누어야 할 것을 잘못하여 곱하였더니 $1\frac{7}{9}$이 되었습니다. 바르게 계산한 값을 구하시오.

14 ★을 다음과 같이 계산할 때, $1\frac{2}{3}$ ★ $2\frac{1}{6}$을 계산하시오.

가 ★ 나=(가+나)÷(나−가)

15 휘발유 $\frac{3}{7}$ L로 $7\frac{1}{5}$ km를 달리는 자동차가 있습니다. 이 자동차는 휘발유 1 L로 몇 km를 달릴 수 있는지 구하시오.

16 떨어뜨린 높이의 $\frac{3}{5}$만큼 튀어 오르는 공이 있습니다. 이 공을 떨어뜨렸을 때 두 번째로 튀어 오른 높이가 $3\frac{3}{5}$ m였다면 처음 공을 떨어뜨린 높이는 몇 m인지 구하시오.

17 두 도형의 넓이가 같을 때, 삼각형의 높이는 몇 cm인지 구하시오.

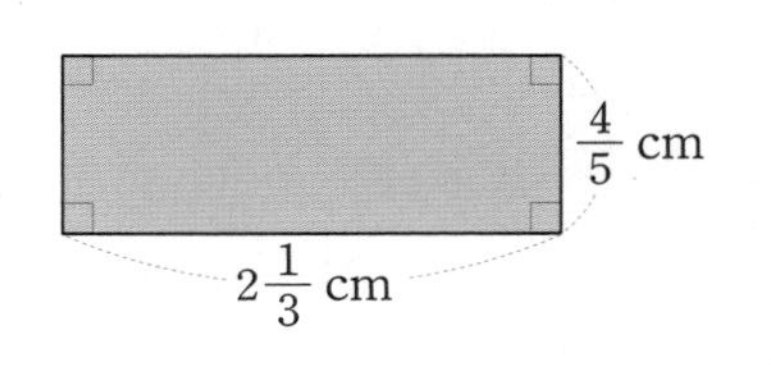

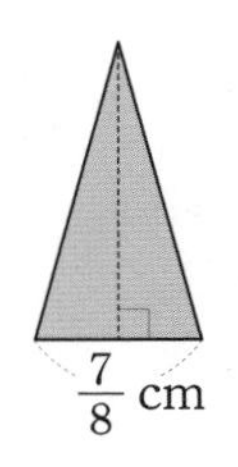

태양과 행성 사이의 거리

지금까지 우리는 분수의 나눗셈을 배웠습니다.

분수의 나눗셈을 이용해서 태양과 행성 사이의 거리를 비교해 볼까요?

태양과 행성 사이의 거리를 알아볼까요?

태양계는 항성인 태양과 8개의 행성 및 약 185개의 위성, 수많은 소행성, 혜성, 유성과 운석, 옅은 구름을 이루고 있는 행성간 물질 등으로 구성됩니다.
행성은 지구형 행성인 수성, 금성, 지구, 화성과 목성형 행성인 목성, 토성, 천왕성, 해왕성으로 구분합니다. 과거에는 태양계에 총 9개의 행성이 있었으나 2006년 태양계 맨 바깥쪽에 있던 명왕성이 왜소 행성(dwarf planet)으로 분류되면서 행성 수가 8개가 되었습니다.
그렇다면 각 행성과 태양이 떨어져 있는 거리는 얼마나 될까요?
우리가 살고 있는 지구와 태양 사이의 거리는 무려 150000000 km나 됩니다.
정말 먼 거리죠?
태양과 지구 사이의 거리를 천문 단위로 간단히 1 AU라고 표현합니다.
태양과 지구 사이의 거리를 통해 다른 행성과 태양 사이의 거리를 천문 단위 AU로 나타내면 다음과 같습니다.

	수성	금성	지구	화성	목성	토성	천왕성	해왕성
태양과 행성 사이의 거리(AU)	$\frac{2}{5}$	$\frac{7}{10}$	1	$1\frac{1}{2}$	$5\frac{1}{5}$	$9\frac{1}{2}$	$19\frac{1}{5}$	$30\frac{1}{10}$

수성에서 해왕성으로 갈수록 점점 멀어지는 것을 알 수 있습니다.

태양과 행성 사이의 거리를 비교해 볼까요?

태양과 행성 사이의 거리를 나타낸 위의 표를 보고 다음 문제를 해결해 봅시다.

[1] 지구와 태양 사이의 거리는 수성과 태양 사이의 거리의 몇 배인지 구하시오.

[2] 목성과 태양 사이의 거리는 수성과 태양 사이의 거리의 몇 배인지 구하시오.

[3] 화성과 금성 사이의 거리는 수성과 태양 사이의 거리의 몇 배인지 구하시오.

소수의 나눗셈

공부할 내용	공부한 날
05 (소수)÷(소수) (1)	월 일
06 (소수)÷(소수) (2)	월 일
07 (소수)÷(소수) (3)	월 일
08 (자연수)÷(소수)	월 일
09 몫의 반올림과 나누어 주고 남는 양	월 일

05 (소수)÷(소수) (1)

우리는 **[수학 6-1]** 소수의 나눗셈에서 $26.6 \div 2$, $2.66 \div 2$와 같은 (소수)÷(자연수)를 계산하는 방법을 알아보았습니다. (소수)÷(자연수)는 자연수의 나눗셈을 이용하여 계산한 후 소수점을 표시하여 다음과 같이 계산하였습니다.

> $266 \div 2 = 133$이므로 $26.6 \div 2 = 13.3$, $2.66 \div 2 = 1.33$

몫의 소수점은 나누어지는 수의 소수점의 자리에 맞추어 찍습니다.

즉, 나누어지는 수가 $\frac{1}{10}$배가 되면 몫도 $\frac{1}{10}$배가 되고, 나누어지는 수가 $\frac{1}{100}$배가 되면 몫도 $\frac{1}{100}$배가 됩니다.

그렇다면 $17.5 \div 0.5$, $1.75 \div 0.05$와 같은 (소수)÷(소수)는 어떻게 계산할까요? 나눗셈에서 나누는 수와 나누어지는 수에 같은 수를 곱하면 몫은 변하지 않으므로 (소수)÷(소수)는 나누는 수와 나누어지는 수에 10배 또는 100배를 하여 (자연수)÷(자연수)로 바꾸어 다음과 같이 계산합니다.

- $17.5 \div 0.5$ ⇨ 나누는 수와 나누어지는 수에 10을 곱하여 계산하면 $175 \div 5 = 35$이므로 $17.5 \div 0.5 = 35$

  $17.5 \div 0.5$ (10배↓, ↓10배) $175 \div 5 = 35$

  17.5는 0.1이 175개, 0.5는 0.1이 5개입니다.

- $1.75 \div 0.05$ ⇨ 나누는 수와 나누어지는 수에 100을 곱하여 계산하면 $175 \div 5 = 35$이므로 $1.75 \div 0.05 = 35$

  $1.75 \div 0.05$ (100배↓, ↓100배) $175 \div 5 = 35$

  1.75는 0.01이 175개, 0.05는 0.01이 5개입니다.

여기서 (소수)÷(소수)가 자연수의 나눗셈을 이용하여 어떻게 계산되는지 mm, cm, m 단위로 알아봅시다. □ 안에 알맞은 수를 써넣으시오.

- 1 cm=10 mm이므로 2.8 cm=28 mm, 0.4 cm=4 mm입니다.
  따라서 2.8 cm÷0.4 cm=28 mm÷4 mm=□입니다.
- 1 m=100 cm이므로 2.16 m=216 cm, 0.36 m=36 cm입니다.
  따라서 2.16 m÷0.36 m=216 cm÷36 cm=□입니다.

답 7, 6

풍산자 비법

(소수)÷(소수) ⇨ 나누는 수와 나누어지는 수에 10배 또는 100배를 하여 (자연수)÷(자연수)로 바꾸어 계산한다.

교과서 + 익힘책 유형

01 $1.2 \div 0.3$을 계산하는 과정입니다. □ 안에 알맞은 수를 써넣으시오.

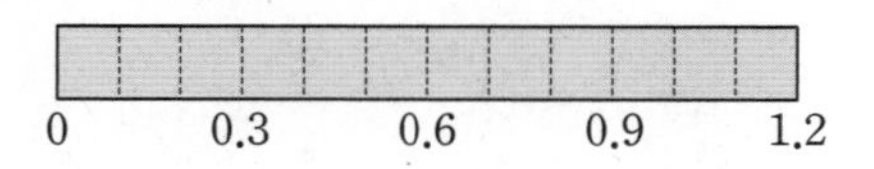

1.2에서 0.3을 □번 덜어낼 수 있으므로 $1.2 \div 0.3 =$ □입니다.

02 철사 3.28 m를 0.04 m씩 자르려고 합니다. □ 안에 알맞은 수를 써넣으시오.

> 3.28 m=□ cm, 0.04 m=4 cm입니다. 철사 3.28 m를 0.04 m씩 자르는 것은 철사 □ cm를 4 cm씩 자르는 것과 같습니다.
> ⇨ $3.28 \div 0.04 =$ □ $\div 4 =$ □

03 $25.5 \div 0.5$를 보기와 같은 방법으로 계산하시오.

> 보기
> $16.5 \div 0.3 = 165 \div 3 = 55$

04 소수의 나눗셈을 자연수의 나눗셈을 이용하여 계산하려고 합니다. □ 안에 알맞은 수를 써넣으시오.

(1)

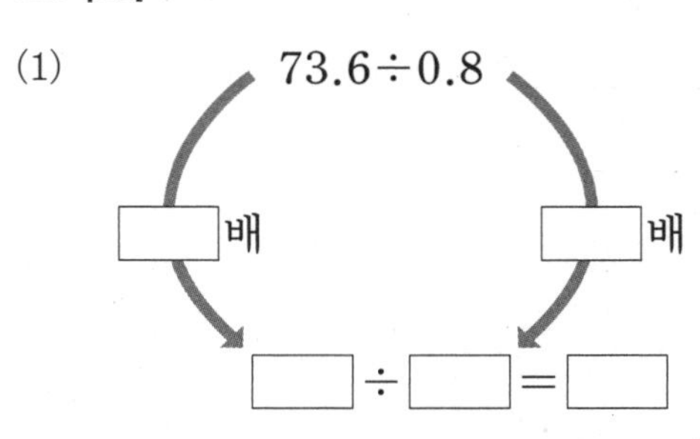

⇨ $73.6 \div 0.8 =$ □

(2)

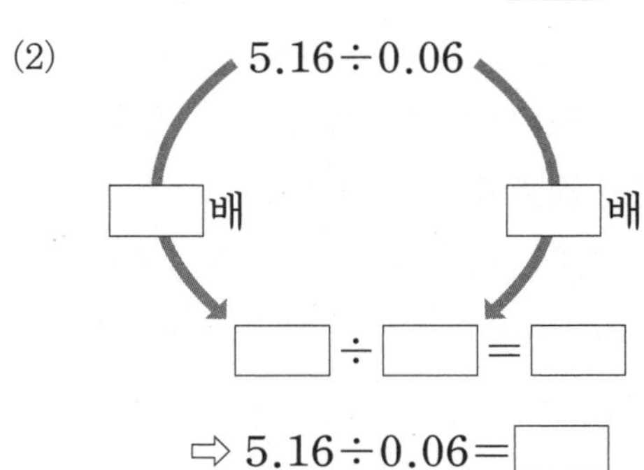

⇨ $5.16 \div 0.06 =$ □

05 계산 결과를 비교하여 ○ 안에 >, =, <를 알맞게 써넣으시오.

> $7.2 \div 0.6$ ○ $0.65 \div 0.05$

교과서 + 익힘책 응용 유형

06 빈칸에 알맞은 수를 써넣으시오.

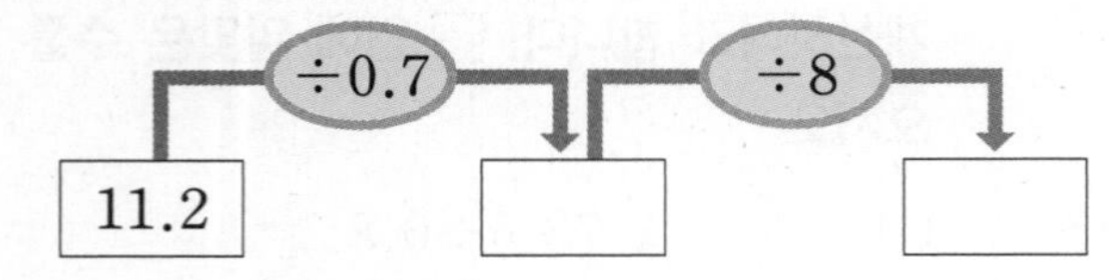

07 $8.1 \div 0.9$를 계산하기 위해 소수점을 바르게 옮긴 것을 어느 것입니까?

① $0.81 \div 0.9$ ② $8.1 \div 9$
③ $81 \div 9$ ④ $810 \div 0.9$
⑤ $810 \div 9$

08 계산 결과가 두 번째로 작은 것을 찾아 기호를 쓰시오.

㉠	㉡	㉢
$15.6 \div 1.3$	$8.4 \div 2.8$	$22.4 \div 1.6$

09 관계있는 것끼리 이어 보시오.

$8.64 \div 0.36$ •	• $532 \div 14$ •	• 18
$53.2 \div 1.4$ •	• $864 \div 36$ •	• 24
$34.2 \div 1.9$ •	• $342 \div 19$ •	• 38

10 넓이가 $6.4\ \text{cm}^2$인 직사각형이 있습니다. 이 직사각형의 가로가 $1.6\ \text{cm}$일 때, 세로는 몇 cm인지 구하시오.

11 길이가 $4.84\ \text{m}$인 색 테이프를 $0.02\ \text{m}$씩 똑같이 잘랐습니다. 자른 색 테이프는 모두 몇 도막인지 구하시오.

잘 틀리는 유형

12 ㉠은 ㉡의 몇 배인지 구하시오.

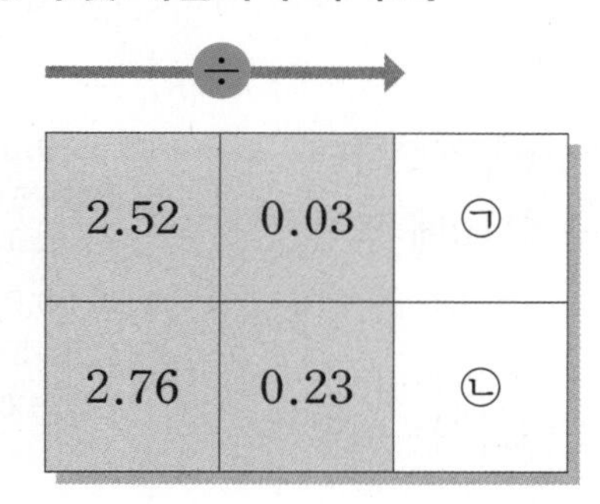

13 몫이 다른 하나를 찾아 기호를 쓰시오.

㉠ $16.96 \div 2.12$
㉡ $25.28 \div 6.32$
㉢ $25.44 \div 3.18$

14 조건을 만족하는 나눗셈식을 찾아 계산하시오.

- $448 \div 8$을 이용하여 풀 수 있습니다.
- 나누는 수와 나누어지는 수를 각각 10배하면 $448 \div 8$이 됩니다.

15 □ 안에 들어갈 수 있는 가장 작은 자연수를 구하시오.

$3.57 \div 0.07 < \square$

16 넓이가 $28.8\ \text{cm}^2$인 평행사변형이 있습니다. 이 평행사변형의 밑변의 길이가 3.2 cm일 때, 높이는 몇 cm인지 구하시오.

17 46.5 L의 기름이 있습니다. 이 기름을 한 통에 0.5 L씩 나누어 담으려고 합니다. 통은 모두 몇 개 필요한지 구하시오.

06 (소수)÷(소수) (2)

우리는 앞 단원에서 12.5÷0.5, 1.25÷0.05와 같은 (소수)÷(소수)를 계산하는 방법을 알아보았습니다. (소수)÷(소수)는 나누는 수와 나누어지는 수에 10배 또는 100배를 하여 (자연수)÷(자연수)로 바꾸어 계산하였습니다.

- 12.5÷0.5
  ⇨ 125÷5=25이므로
  12.5÷0.5=25
- 1.25÷0.05
  ⇨ 125÷5=25이므로
  1.25÷0.05=25

그렇다면 1.8÷0.3, 1.38÷0.23과 같이 자릿수가 같은 (소수)÷(소수)는 어떻게 계산할까요?

소수 한 자리 수의 (소수)÷(소수)는 분모가 10인 분수로 고쳐서 분수의 나눗셈으로 계산하거나 나누는 수와 나누어지는 수를 10배 하여 소수점을 각각 오른쪽으로 한 자리씩 옮겨서 세로로 다음과 같이 계산합니다.

[방법 1] 분수의 나눗셈으로 계산	[방법 2] 소수점을 옮겨 세로로 계산
$1.8\div0.3=\frac{18}{10}\div\frac{3}{10}$ $=18\div3=6$	0.3)1.8 ⇨ 3)18, 몫 6, 18, 0 소수점을 오른쪽으로 한 자리씩 옮기기

세로 계산에서 몫을 쓸 때 옮긴 소수점의 위치에서 소수점을 찍어 주어야 합니다.

소수 두 자리 수의 (소수)÷(소수)는 분모가 100인 분수로 고쳐서 분수의 나눗셈으로 계산하거나 나누는 수와 나누어지는 수를 100배 하여 소수점을 각각 오른쪽으로 두 자리씩 옮겨서 세로로 다음과 같이 계산합니다.

[방법 1] 분수의 나눗셈으로 계산	[방법 2] 소수점을 옮겨 세로로 계산
$1.38\div0.23=\frac{138}{100}\div\frac{23}{100}$ $=138\div23=6$	0.23)1.38 ⇨ 23)138, 몫 6, 138, 0 소수점을 오른쪽으로 두 자리씩 옮기기

여기서 126÷14를 이용하여 1.26÷0.14를 계산하는 방법을 알아봅시다. □ 안에 알맞은 수를 써넣으시오.

100배
1.26÷0.14=□ ⇨ 126÷14=9
100배

126÷14의 몫은 9입니다. 126은 1.26의 100배이고 14는 0.14의 100배입니다.
1.26÷0.14의 몫은 1.26과 0.14에 100을 곱한 126÷14의 몫과 같습니다.

답 9

풍산자 비법 자릿수가 같은 (소수)÷(소수) ⇨ 세로 계산에서 나누는 수와 나누어지는 수의 소수점을 같은 자리만큼 옮겨 계산한다.

교과서 + 익힘책 유형

01 80.6÷2.6을 보기와 같은 방법으로 계산하시오.

보기

$14.4 \div 1.2 = \frac{144}{10} \div \frac{12}{10}$
$= 144 \div 12 = 12$

02 6.48÷0.24를 두 가지 방법으로 계산한 것입니다. □ 안에 알맞은 수를 써넣으시오.

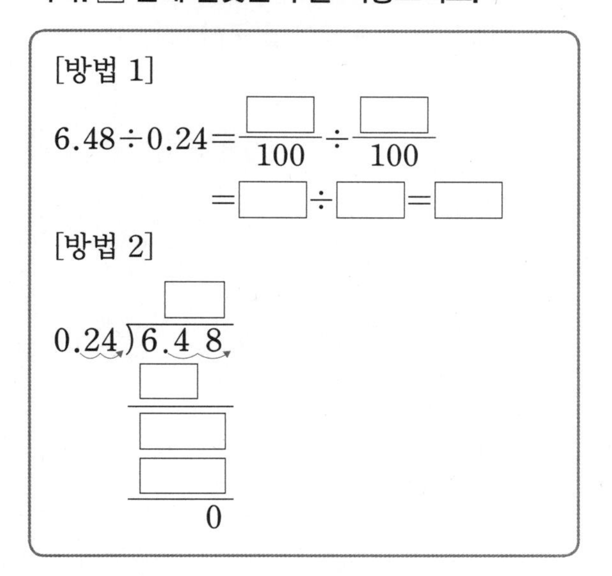

03 다음을 계산하시오.

(1) 6.4÷0.4

(2) 8.48÷0.53

(3) 0.07)3.99

(4) 0.43)10.32

04 빈칸에 알맞은 수를 써넣으시오.

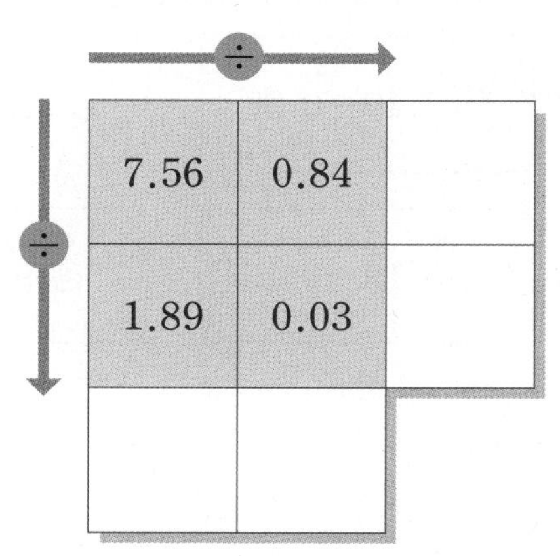

05 계산 결과를 비교하여 ○ 안에 >, =, <를 알맞게 써넣으시오.

4.16÷0.32 ○ 4.48÷0.28

06 계산 결과를 찾아 이어 보시오.

18.7÷1.1 •	• 14
2.38÷0.17 •	• 12
1.56÷0.13 •	• 17

교과서 + 익힘책 응용 유형

07 몫이 큰 것부터 차례대로 기호를 쓰시오.

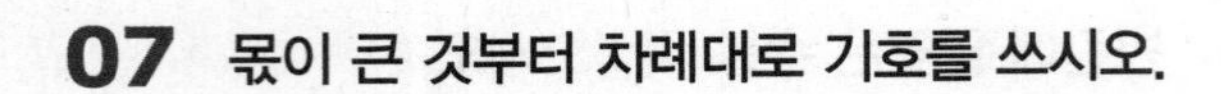

㉠ $7.49 \div 0.07$	㉡ $2.25 \div 0.15$
㉢ $3.12 \div 0.13$	㉣ $9.3 \div 0.3$

08 큰 수를 작은 수로 나눈 몫을 빈칸에 써넣으시오.

9.88	0.52

____

09 1부터 9까지의 자연수 중에서 □ 안에 들어갈 수 있는 수를 모두 쓰시오.

$\square < 15.6 \div 3.9$

10 어떤 수에 0.23을 곱했더니 4.83이 되었습니다. 어떤 수를 구하시오.

11 주어진 식은 나누어떨어지는 식입니다. ㉠, ㉡에 알맞은 수의 합을 구하시오.

$$2.6\overline{)3\,6.㉡}$$ 몫: ㉠ 4

12 밀가루 54.4 kg이 있습니다. 케이크 한 개를 만드는 데 밀가루 3.4 kg씩 사용한다면 케이크를 모두 몇 개 만들 수 있는지 구하시오.

잘 틀리는 유형

13 ▲을 다음과 같이 계산할 때, 30.6▲1.8을 계산하시오.

가▲나=(가÷5.1)+(7.2÷나)

14 □ 안에 들어갈 수 있는 자연수는 모두 몇 개인지 구하시오.

$36.8 \div 1.6 < \square < 16.8 \div 0.6$

15 넓이가 $33.6\ \text{cm}^2$인 삼각형이 있습니다. 이 삼각형의 높이는 몇 cm인지 구하시오.

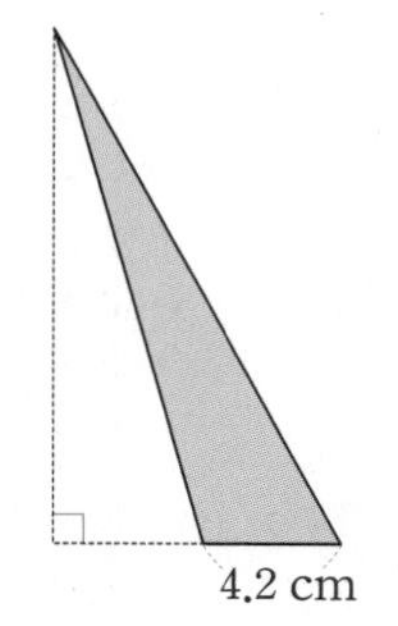

16 계산이 잘못된 부분을 찾아 바르게 계산하시오.

```
        0.2 4
0.56 ) 1 3.4 4
       1 1 2
       -------
         2 2 4
         2 2 4
       -------
             0
```

⇨ □

17 숫자 1, 2, 4, 6, 8을 한 번씩만 사용하여 몫이 가장 크게 되도록 나눗셈식을 완성하고 계산하시오.

□.□) □ □.□

18 길이가 89.9 m인 직선 도로의 한 쪽에 시작과 끝을 포함하여 2.9 m 간격으로 가로수를 세우려고 합니다. 필요한 가로수는 모두 몇 그루인지 구하시오. (단, 가로수의 두께는 생각하지 않습니다.)

07 (소수)÷(소수) (3)

우리는 앞 단원에서 1.17÷0.13과 같이 자릿수가 같은 (소수)÷(소수)를 계산하는 방법을 알아보았습니다. 자릿수가 같은 (소수)÷(소수)는 분수의 나눗셈으로 계산하거나 나누는 수와 나누어지는 수의 소수점을 같은 자리만큼 옮겨 세로로 계산하였습니다.

0.13)1.17 ⇩ 13)117 → 몫 9, 117, 0

그렇다면 1.43÷1.1과 같이 자릿수가 다른 (소수)÷(소수)는 어떻게 계산할까요?
자릿수가 다른 (소수)÷(소수)는 나누는 수가 자연수가 되도록 10배 또는 100배 하여 나누는 수와 나누어지는 수의 소수점을 오른쪽으로 같은 자리만큼 옮겨서 세로로 다음과 같이 계산합니다.
이때 몫의 소수점은 나누어지는 수의 옮긴 소수점과 같은 위치에 찍습니다.

나누는 수와 나누어지는 수를 10배 하여 14.3÷11로 계산	나누는 수와 나누어지는 수를 100배 하여 143÷110으로 계산
1.1)1.43 ⇨ 11)14.3 (몫 1.3; 11, 33, 33, 0) 소수점을 오른쪽으로 한 자리씩 옮깁니다.	1.10)1.43 ⇨ 110)143 (몫 1.3; 110, 330, 330, 0) 소수점을 오른쪽으로 두 자리씩 옮깁니다.
⇨ 14.3÷11과 1.43÷1.1의 몫은 같습니다.	⇨ 143÷110과 1.43÷1.1의 몫은 같습니다.

1.1과 같이 소수 한 자리 수를 100배 한 경우에는 가장 마지막 수의 끝에 0을 적어 나타냅니다.

여기서 자릿수가 다른 (소수)÷(소수)를 분수의 나눗셈으로 계산하는 방법을 알아봅시다. □ 안에 알맞은 수를 써넣으시오.

$3.12 \div 1.3 = \frac{312}{100} \div \frac{130}{100} = 312 \div 130 = \square$

즉, 분모가 같은 분수로 바꾸어 계산해도 몫은 같습니다.

답 2.4

풍산자 비법
자릿수가 다른 (소수)÷(소수) ⇨ 세로 계산에서 나누는 수가 자연수가 되도록 소수점을 옮겨서 계산한다.

교과서 + 익힘책 유형

01 □ 안에 알맞은 수를 써넣으시오.

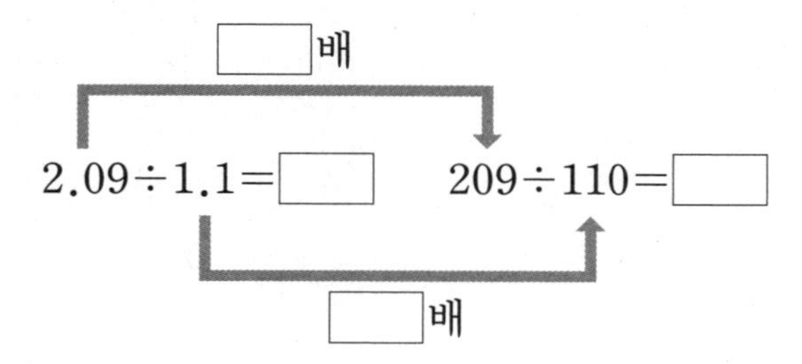

02 2.61÷0.3을 보기와 같은 방법으로 계산하시오.

보기

$$3.45 \div 1.5 = \frac{345}{100} \div \frac{150}{100}$$
$$= 345 \div 150 = 2.3$$

03 1.32÷0.4를 두 가지 방법으로 계산한 것입니다. □ 안에 알맞은 수를 써넣으시오.

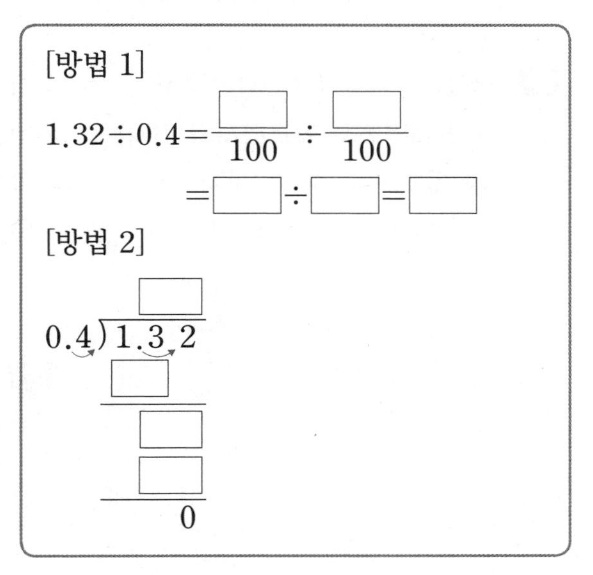

04 보기와 같이 계산하시오.

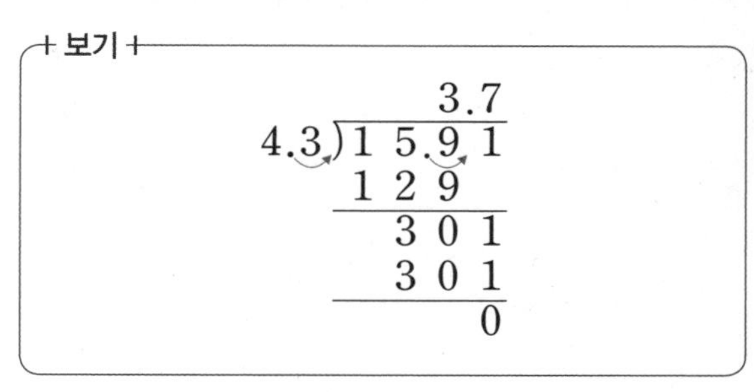

3.2)5.1 2

05 다음을 계산하시오.

(1) 4.06÷2.9

(2) 8.25÷3.3

(3) 1.4)7.2 8 (4) 2.1)7.9 8

06 계산 결과를 비교하여 ○ 안에 >, =, <를 알맞게 써넣으시오.

0.51÷0.3 ○ 2.52÷1.8

교과서 + 익힘책 응용 유형

07 계산 결과가 다른 하나를 찾아 기호를 쓰시오.

㉠ $1.36 \div 1.7$	㉡ $13.6 \div 17$
㉢ $\frac{136}{100} \div \frac{170}{100}$	㉣ $136 \div 17$

08 계산 결과가 가장 작은 것부터 차례대로 기호를 쓰시오.

㉠	㉡	㉢
$8.32 \div 2.6$	$0.96 \div 0.8$	$3.23 \div 1.9$

09 어떤 수를 2.8로 나누어야 하는데 잘못하여 곱했더니 47.04가 되었습니다. 바르게 계산한 값을 구하시오.

10 □ 안에 들어갈 수 있는 자연수를 모두 구하시오.

$$11.96 \div 2.6 > \square$$

11 빈칸에 알맞은 수의 합을 구하시오.

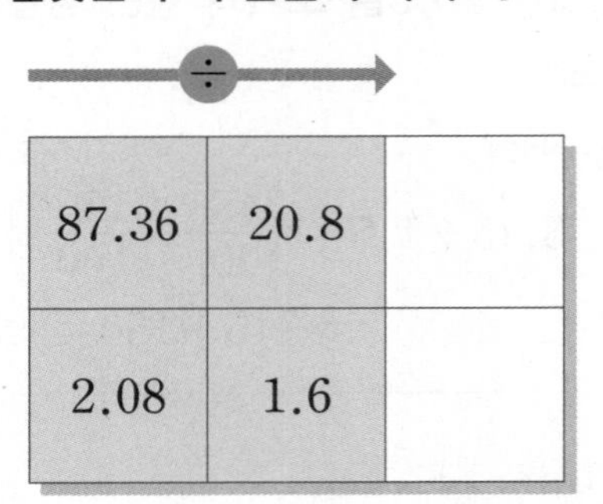

87.36	20.8	
2.08	1.6	

12 집에서 지하철역까지의 거리는 2.34 km이고 지하철역에서 학교까지의 거리는 1.8 km입니다. 집에서 지하철역까지의 거리는 학교에서 지하철역까지의 거리의 몇 배인지 구하시오.

잘 틀리는 유형

13 소수의 나눗셈을 잘못 계산한 것입니다. 계산이 잘못된 부분을 찾아 바르게 계산하시오.

$$3.23 \div 1.7 = \frac{323}{100} \div \frac{17}{10}$$
$$= 323 \div 17 = 19$$

14 숫자 2, 5, 6, 7, 9를 한 번씩만 사용하여 몫이 가장 큰 나눗셈식을 만들고 몫을 구하시오.

□.□□÷□.□

15 넓이가 $23.49\ \mathrm{cm}^2$인 삼각형이 있습니다. 이 삼각형의 밑변이 8.7 cm일 때, 높이는 몇 cm인지 구하시오.

16 □ 안에 알맞은 수를 써넣으시오.

```
          0.□ 3
    6.□)3.□ 0 4
        3 4 0
        ------
          2 □ □
          2 0 4
          ------
              0
```

17 미란이와 수빈이는 길이가 10.8 m인 색 테이프를 각각 가지고 있습니다. 이 색 테이프를 미란이는 0.9 m씩, 수빈이는 1.35 m씩 잘랐다면 누가 자른 색 테이프 조각이 몇 조각 더 많은지 구하시오.

18 휘발유 1.6 L로 19.52 km를 갈 수 있는 자동차가 있습니다. 휘발유 1 L의 가격이 2010원일 때 이 자동차가 170.8 km를 가는 데 필요한 휘발유의 가격은 얼마인지 구하시오.

08 (자연수)÷(소수)

우리는 앞 단원에서 1.87÷1.7과 같이 자릿수가 다른 (소수)÷(소수)를 계산하는 방법을 알아보았습니다. 자릿수가 다른 (소수)÷(소수)는 나누는 수가 자연수가 되도록 10배 또는 100배 하여 나누는 수와 나누어지는 수의 소수점을 오른쪽으로 같은 자리만큼 옮겨서 세로로 계산하였습니다.

$$1.7\overline{)1.87} \Rightarrow 17\overline{)18.7} = 1.1$$

		1	.	1
17)	1	8	.	7
	1	7		
		1		7
		1		7
				0

그렇다면 14÷3.5, 4÷0.25와 같은 (자연수)÷(소수)는 어떻게 계산할까요?
(자연수)÷(소수)는 소수를 분모가 10 또는 100인 분수로 고쳐서 분수의 나눗셈으로 계산하거나 나누는 수가 자연수가 되도록 나누는 수와 나누어지는 수를 10배 또는 100배 하여 소수점을 각각 오른쪽으로 한 자리 또는 두 자리씩 옮겨서 세로로 다음과 같이 계산합니다.

(자연수)÷(소수 한 자리 수)

$$14 \div 3.5 = \frac{140}{10} \div \frac{35}{10} = 140 \div 35 = 4$$

$$3.5\overline{)14.0} \Rightarrow 35\overline{)140}$$

			4
35)	1	4	0
	1	4	0
			0

(자연수)÷(소수 두 자리 수)

$$4 \div 0.25 = \frac{400}{100} \div \frac{25}{100} = 400 \div 25 = 16$$

$$0.25\overline{)4.00} \Rightarrow 25\overline{)400}$$

		1	6
25)	4	0	0
	2	5	
	1	5	0
	1	5	0
			0

세로 계산에서 소수점을 옮긴 자릿수만큼 나누어지는 수의 오른쪽 끝에 0을 붙인 후 계산합니다.

여기서 나누어지는 수 또는 나누는 수가 같을 때의 몫의 자릿수를 알아봅시다. □ 안에 알맞은 수를 써넣으시오.

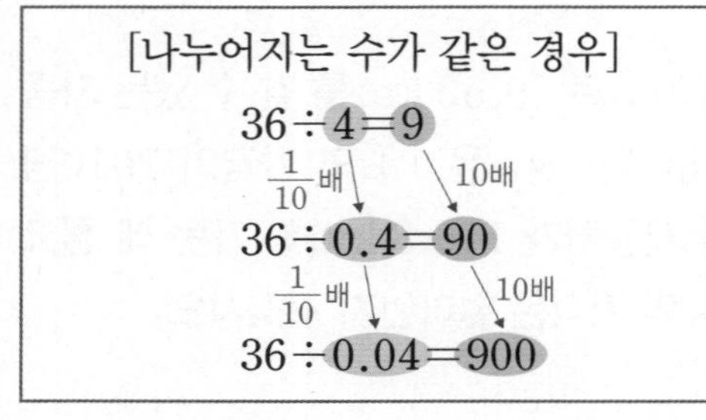

나누는 수가 $\frac{1}{10}$배씩 작아지면 몫은 10배씩 커집니다.

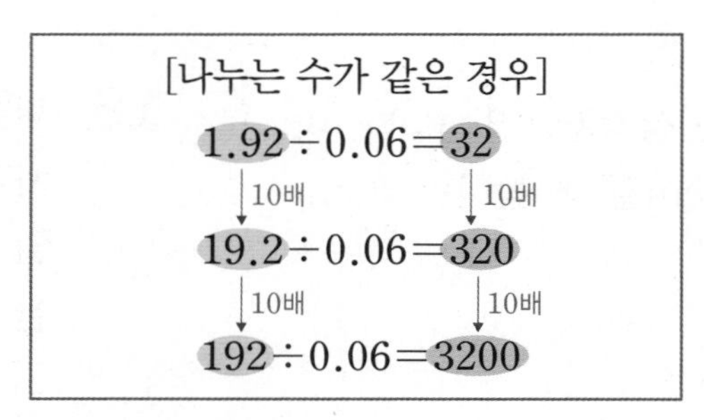

나누어지는 수가 10배씩 커지면 몫도 □배씩 커집니다.

답 10

(자연수)÷(소수) ⇨ 자연수의 오른쪽에 소수점과 0이 있는 것으로 생각하고 세로 계산에서 소수점을 옮긴다.

교과서 + 익힘책 유형

01 38÷0.4를 보기와 같은 방법으로 계산하시오.

보기

$18 \div 1.5 = \frac{180}{10} \div \frac{15}{10} = 180 \div 15 = 12$

02 □ 안에 알맞은 수를 써넣으시오.

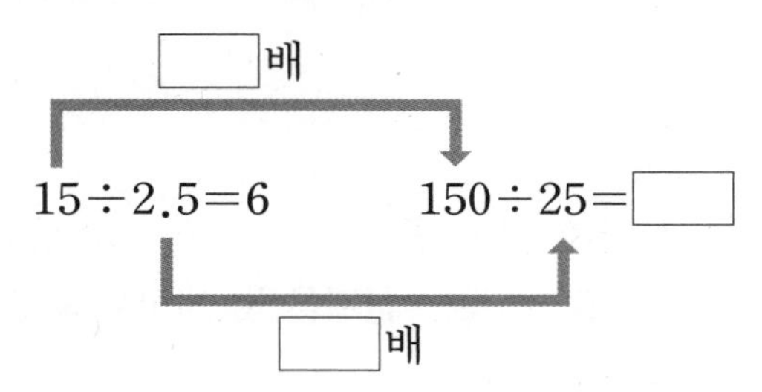

03 다음을 계산하시오.

(1) 28÷3.5

(2) 10÷1.25

(3) 4.5) 2 7

(4) 1.3) 3 9

04 보기와 같이 계산하시오.

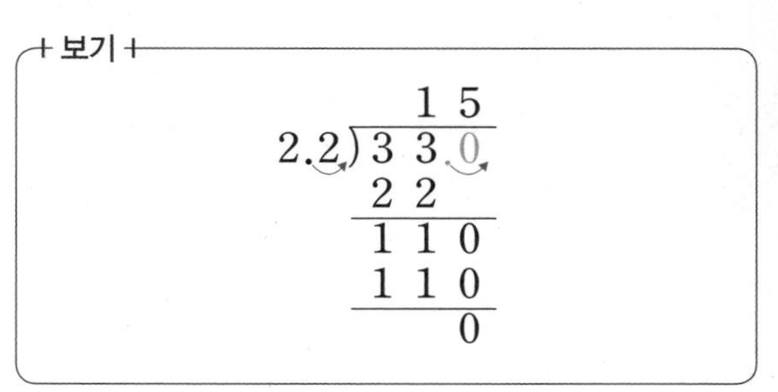

2.8) 4 2

05 계산 결과를 찾아 이어 보시오.

84÷0.14 •	• 600
28÷5.6 •	• 5

06 계산 결과를 비교하여 ○ 안에 >, =, <를 알맞게 써넣으시오.

13÷0.25 ○ 252÷5.6

교과서 + 익힘책 응용 유형

07 8÷1.25와 몫이 같은 것은 어느 것입니까?

① 0.8÷12.5 ② 0.8÷1.25
③ 8÷0.125 ④ 800÷12.5
⑤ 800÷125

08 □ 안에 들어갈 수 있는 자연수를 모두 구하시오.

42÷3.5<□<27÷1.8

09 계산 결과가 작은 것부터 차례대로 기호를 쓰시오.

㉠	㉡	㉢
368÷0.16	728÷2.6	108÷0.09

10 빈칸에 알맞은 수를 써넣으시오.

(1)

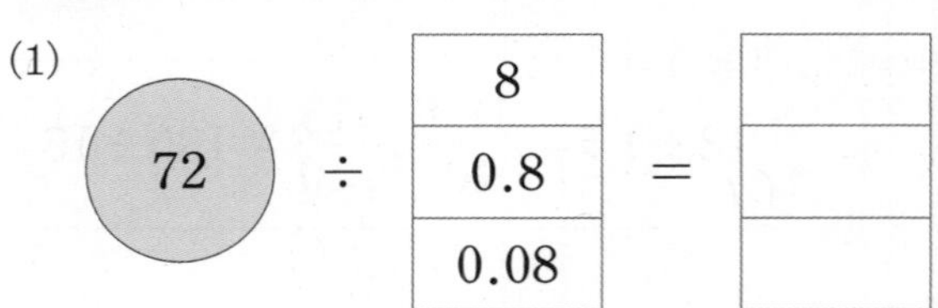

(2)

1.92	÷	0.08	=	
19.2				
192				

11 상자 한 개를 묶는 데 끈이 0.4 m 필요합니다. 끈 252 m로는 상자를 몇 개까지 묶을 수 있는지 구하시오.

12 넓이가 30 cm^2인 평행사변형이 있습니다. 이 평행사변형의 밑변은 몇 cm인지 구하시오.

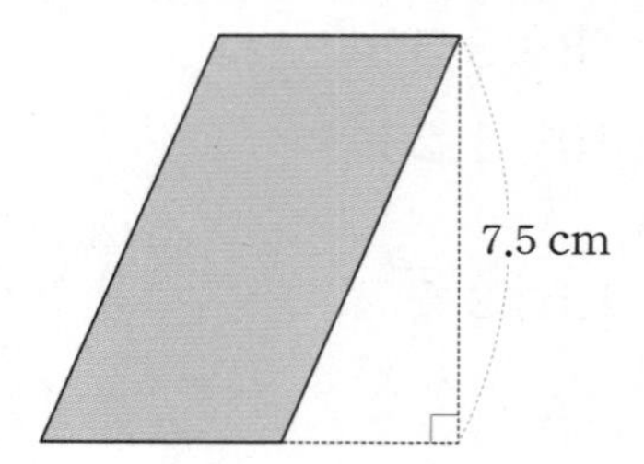

잘 틀리는 유형

13 나눗셈의 몫이 $2.2 < \square < 2.9$의 □ 안에 들어갈 수 있는 식의 기호를 쓰시오.

㉠	㉡
$4 \div 2.5$	$8 \div 3.2$

14 어떤 수를 1.6으로 나누어야 할 것을 잘못하여 곱하였더니 672가 되었습니다. 바르게 계산한 값은 얼마인지 구하시오.

15 소수의 나눗셈을 잘못 계산한 것입니다. 계산이 잘못된 부분을 찾아 바르게 계산하시오.

$$60 \div 0.75 = \frac{600}{100} \div \frac{75}{100}$$
$$= 600 \div 75 = 8$$

16 길이가 0.21 km인 길 한 쪽에 시작과 끝을 포함하여 1.5 m 간격으로 나무를 심으려고 합니다. 필요한 나무는 모두 몇 그루인지 구하시오. (단, 나무의 두께는 생각하지 않습니다.)

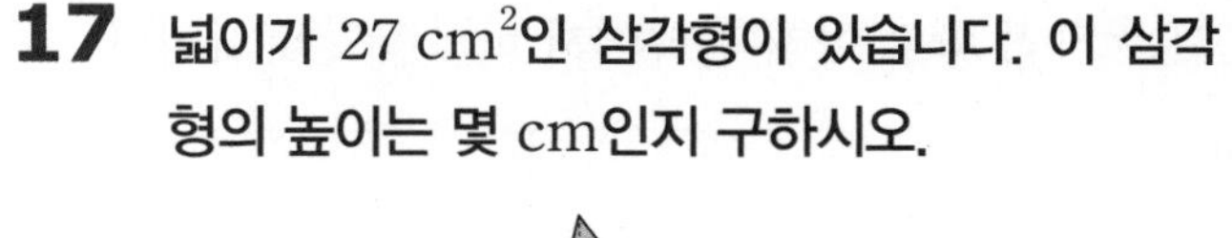

17 넓이가 $27\ \mathrm{cm}^2$인 삼각형이 있습니다. 이 삼각형의 높이는 몇 cm인지 구하시오.

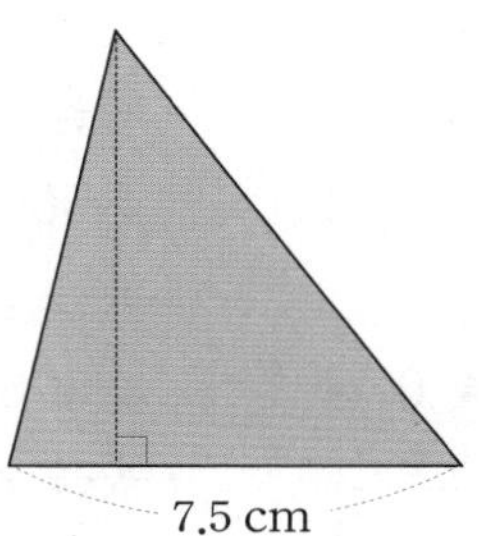

18 숫자 1, 5, 6을 한 번씩만 사용하여 몫이 가장 크게 되도록 나눗셈식을 완성하고 몫을 구하시오.

$390 \div \square.\square\square$

09 몫의 반올림과 나누어 주고 남는 양

우리는 **[수학 5-2]** 수의 범위와 어림하기에서 반올림을 알아보았습니다. 반올림은 구하려는 자리 바로 아래 자리의 숫자가 0, 1, 2, 3, 4이면 버리고 5, 6, 7, 8, 9이면 올리는 방법이었습니다.

2.173을 반올림하여 나타내기
- 자연수로 나타내면
  2.173 ⇨ 2
- 소수 첫째 자리까지 나타내면
  2.173 ⇨ 2.2
- 소수 둘째 자리까지 나타내면
  2.173 ⇨ 2.17

그렇다면 $2.74 \div 0.6$과 같이 몫이 간단한 소수로 구해지지 않는 나눗셈의 몫은 어떻게 나타낼까요?

나눗셈의 몫이 나누어떨어지지 않거나 간단한 소수로 구해지지 않고 너무 복잡해질 때에는 몫을 반올림하여 나타낼 수 있습니다. 이때 몫을 반올림하여 나타내려면 구하려는 자리 바로 아래 자리에서 반올림해야 합니다.

```
        4.5 6 6
0.6)2.7.4 0 0
    2 4
      3 4
      3 0
        4 0
        3 6
          4 0
          3 6
            4
```

- 몫을 반올림하여 자연수로 나타내기
  4.566…… ⇨ 5 (몫의 소수 첫째 자리에서 반올림합니다.)
- 몫을 반올림하여 소수 첫째 자리까지 나타내기
  4.566…… ⇨ 4.6 (몫의 소수 둘째 자리에서 반올림합니다.)
- 몫을 반올림하여 소수 둘째 자리까지 나타내기
  4.566…… ⇨ 4.57 (몫의 소수 셋째 자리에서 반올림합니다.)

여기서 소수의 나눗셈에서 남는 양을 알아봅시다. □ 안에 알맞은 수를 써넣으시오.

> 우유 11.8 L를 한 사람에게 3 L씩 나누어 주려고 할 때, 나누어 줄 수 있는 사람 수와 남는 우유의 양은 얼마일까요?

[방법 1] 뺄셈식으로 계산

$11.8-3-3-3=2.8$이므로
11.8에서 3씩 3번 빼면
2.8이 남습니다.

[방법 2] 세로로 계산

```
     3      ← 몫
3)1 1.8
    9
    2.8    ← 나머지
```

사람 수는 자연수로 나타나므로 $11.8 \div 3$의 몫을 자연수 부분까지만 구합니다.

즉, 우유 11.8 L를 3 L씩 3명에게 나누어 줄 수 있고 남는 우유의 양은 □ L입니다.

답 2.8

풍산자 비법 나눗셈의 몫이 나누어떨어지지 않거나 복잡해질 때에는 몫을 반올림하여 나타낸다.

교과서 + 익힘책 유형

01 □ 안에 알맞은 수를 써넣으시오.

> $13 \div 6$의 몫을 소수 셋째 자리까지 계산하면 □입니다.
> $13 \div 6$의 몫을 반올림하여 자연수로 나타내면 □이고,
> $13 \div 6$의 몫을 반올림하여 소수 첫째 자리까지 나타내면 □이며,
> $13 \div 6$의 몫을 반올림하여 소수 둘째 자리까지 나타내면 □입니다.

02 몫을 반올림하여 소수 둘째 자리까지 나타내시오.

(1) $8 \div 11$

(2) $13.1 \div 3$

03 보리 26.3 kg을 한 봉지에 5 kg씩 나누어 담기 위해 다음과 같이 계산했습니다. □ 안에 알맞은 수를 써넣으시오.

> • $26.3-5-5-5-5-5=$□
> • 26.3 kg을 5 kg씩 □개의 봉지에 나누어 담으면 □ kg이 남습니다.

04 □ 안에 알맞은 수를 써넣으시오.

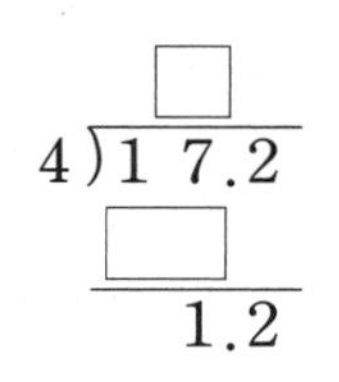

05 계산 결과를 비교하여 ○ 안에 $>$, $=$, $<$를 알맞게 써넣으시오.

17÷7의 몫을 반올림하여 소수 첫째 자리까지 나타낸 수 ○

06 나눗셈의 몫을 자연수 부분까지 구하여 □ 안에 쓰고 나머지는 ○ 안에 써넣으시오.

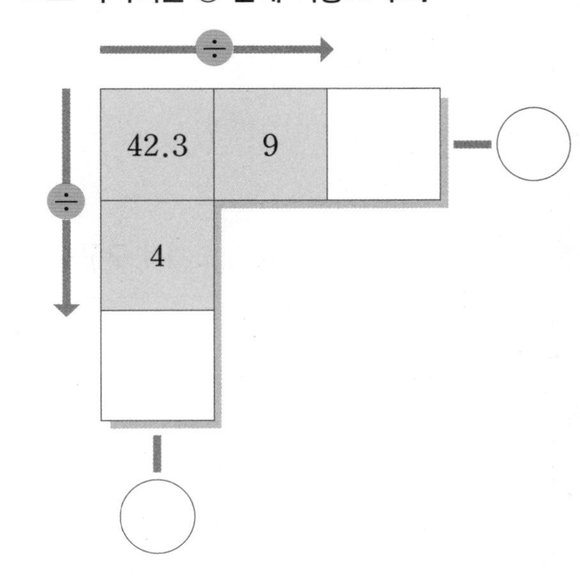

교과서 + 익힘책 응용 유형

07 몫을 반올림하여 소수 둘째 자리까지 나타내었을 때 몫이 큰 것부터 차례대로 기호를 쓰시오.

㉠	㉡	㉢
$15 \div 7$	$38.5 \div 0.9$	$22.4 \div 0.9$

08 몫을 자연수 부분까지 구했을 때 나머지가 가장 큰 것의 기호를 쓰시오.

㉠	㉡	㉢
$26.2 \div 6$	$31.7 \div 9$	$28.5 \div 8$

09 몫의 소수 아홉째 자리 숫자를 구하시오.

$16.3 \div 9$

10 아이스크림 23.4 kg을 3 kg씩 나누어 담을 때 필요한 통의 개수와 남는 아이스크림의 양을 알기 위해 다음과 같이 계산했습니다. 잘못 계산한 부분을 찾아 바르게 계산하시오.

$$\begin{array}{r} 7.8 \\ 3\overline{)\,2\,3.4} \\ \underline{2\,1} \\ 2\,4 \\ \underline{2\,4} \\ 0 \end{array} \Rightarrow$$

나누어 담을 때 필요한 통의 개수: 7개
남는 아이스크림의 양: 0.8 kg

11 주스 5.53 L를 5명이 똑같이 나누어 마시려고 합니다. 한 사람이 몇 L씩 마시면 되는지 반올림하여 소수 둘째 자리까지 나타내시오.

12 케이크 하나를 만드는 데 설탕 2컵이 필요합니다. 설탕이 16.3컵이 있을 때 만들 수 있는 케이크의 개수와 남는 설탕의 양은 몇 컵인지 구하시오.

잘 틀리는 유형

13 몫을 반올림하여 소수 첫째 자리까지 나타낸 몫과 소수 둘째 자리까지 나타낸 몫의 차를 구하시오.

$39.7 \div 5.1$

14 어떤 수를 0.9로 나누어야 하는데 잘못하여 9로 나누었더니 몫이 3, 나머지가 2.3이었습니다. 바르게 계산했을 때의 몫을 반올림하여 소수 첫째 자리까지 나타내시오.

15 주어진 나눗셈의 몫의 소수 9째 자리 숫자와 소수 10째 자리 숫자의 차를 구하시오.

$74.45 \div 27.5$

16 길이가 21.6 m인 리본을 4 m씩 나누어 주려고 할 때 몇 명이 가질 수 있는지 알기 위해 다음과 같이 계산했습니다. 잘못 계산한 부분을 찾아 바르게 계산하시오.

$$\begin{array}{r} 5.4 \\ 4\overline{)\,21.6} \\ \underline{20} \\ 1\,6 \\ \underline{1\,6} \\ 0 \end{array} \Rightarrow$$

나누어 줄 수 있는 사람 수: 5.4명
남는 리본의 양: 0 m

17 612.5 kg까지 운반할 수 있는 엘리베이터가 있습니다. 이 엘리베이터에 50 kg인 짐을 몇 개까지 실을 수 있는지 구하시오.

18 어느 고속버스가 5시간 30분 동안 624 km를 달렸다고 합니다. 이 버스가 1시간 동안 달린 평균 거리는 약 몇 km인지 반올림하여 소수 둘째 자리까지 나타내시오.

소수와 합성수

지금까지 우리는 소수의 나눗셈을 배웠습니다.
[수학 3-1]에서 소수를 처음 접하고 이번 단원까지 공부한 후
소수의 덧셈, 뺄셈, 곱셈, 나눗셈까지 할 수 있게 되었습니다.
우리가 지금까지 공부한 소수를 한자로 쓰면 小數입니다.
그렇지만 중학교에 가면 지금까지 배운 소수(小數)보다는
소수(素數)를 더 많이 다루게 됩니다.
같은 소수이지만 전혀 다른 수입니다.
중학교에서 자세히 배우지만 여기서 살짝만 알아볼까요?

소수(素數)는 무엇일까요?

2의 약수는 1과 2이고, 3의 약수는 1과 3입니다. 이와 같이 1보다 큰 자연수 중에서 1과 자기 자신만을 약수로 가지는 수를 소수(素數)라고 합니다.
한편, 4의 약수는 1, 2, 4이고, 6의 약수는 1, 2, 3, 6입니다. 이와 같이 1보다 큰 자연수 중에서 1과 자기 자신 이외의 다른 수를 약수로 가지는 수를 합성수라고 합니다.
이때 1은 소수도 아니고 합성수도 아닙니다.
10 이하의 소수는 2, 3, 5, 7입니다. 수가 점점 커질수록 소수가 나타나는 횟수는 줄어들지만 소수는 신기할 정도로 계속해서 나타납니다. 1000000 근처의 수에서도 소수는 대략 14개에 한 개꼴로 나타난다고 합니다.
사람들은 수천 년 동안 소수에 대해 연구해왔고 미신적이거나 종교적인 중요성을 소수에 부여해왔습니다. 그리스 수학자인 유클리드는 기원전 300년경에 소수가 끊이지 않고 계속해서 나타난다는 사실을 최초로 증명했지만 2000년 이상이 지난 지금도 소수를 구하는 공식은 알려지지 않았습니다.
현재까지 알려진 소수를 찾는 가장 간단한 방법으로 에라토스테네스의 체가 있습니다.
그 방법은 다음과 같습니다.

1. 찾고자 하는 범위의 자연수를 나열합니다.
2. 2부터 시작하여, 2의 배수를 지워나갑니다.
3. 다음 소수의 배수를 모두 지웁니다.

이를 반복하여 마지막까지 지우면, 남는 수들이 소수가 됩니다.

소수를 찾아 볼까요?

다음 수를 소수와 합성수로 구분해 봅시다.

[1] 11　　[2] 16

[3] 21　　[4] 23

3

공간과 입체

공부할 내용	공부한 날
10 위, 앞, 옆에서 본 모양	월 일
11 위에서 본 모양에 쓴 수	월 일
12 층별로 나타낸 모양	월 일

10 위, 앞, 옆에서 본 모양

우리는 **[수학 2-1]** 여러 가지 도형에서 쌓기나무로 여러 가지 모양을 만들어 보았습니다. 쌓기나무 4개를 2층으로 쌓아 모양을 만들면 오른쪽 그림과 같이 여러 가지 모양을 만들 수 있었습니다.

그렇다면 쌓기나무로 쌓은 모양은 어떻게 정확한 모양을 알 수 있을까요?

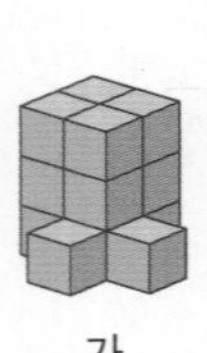
가

위에서 본 모양

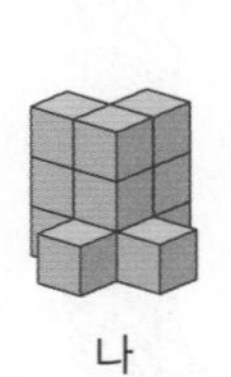
나

위에서 본 모양

가와 똑같은 모양으로 쌓는 데 필요한 쌓기나무는 14개입니다.

가는 위에서 본 모양을 알면 뒤에 숨겨진 쌓기나무를 나타낼 수 있어 쌓기나무로 쌓은 모양과 개수를 정확히 알 수 있습니다.
나는 위에서 본 모양을 알아도 뒤에 보이지 않는 부분이 1개인지 2개인지 알 수 없기 때문에 쌓기나무로 쌓은 모양과 쌓기나무의 개수를 정확히 알 수 없습니다.
즉, 쌓기나무로 쌓은 모양과 위에서 본 모양으로는 쌓은 모양과 쌓기나무의 개수를 정확히 알 수 없는 경우도 있습니다.

뒤에 숨을 수 있는 쌓기나무 모양

여기서 위, 앞, 옆에서 본 모양을 통해 쌓기나무로 쌓은 모양과 쌓기나무의 개수를 알아봅시다. □ 안에 알맞은 수를 써넣으시오.

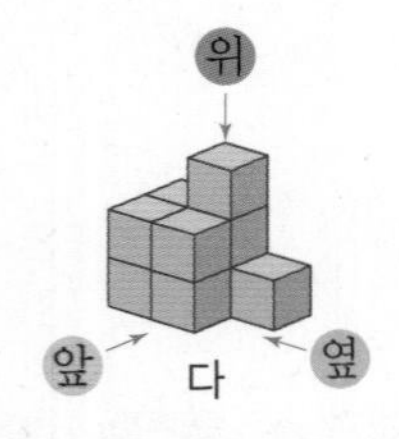

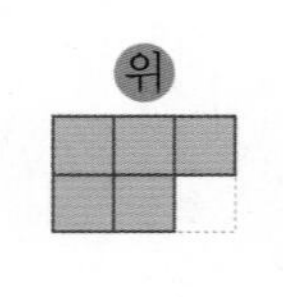

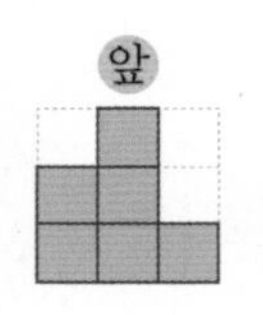

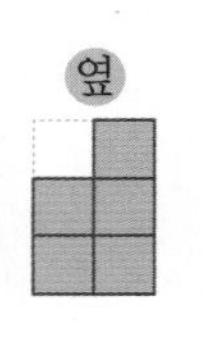

다는 위, 앞, 옆에서 본 모양을 알면 쌓기나무로 쌓은 모양을 정확하게 알 수 있습니다.
이때 쌓기나무로 쌓은 모양을 위에서 본 모양은 바닥에 닿은 면의 모양과 같고, 앞에서 본 모양과 옆에서 본 모양은 각 방향에서 가장 높은 층의 모양과 같습니다.
다와 똑같은 모양으로 쌓는 데 필요한 쌓기나무는 □개입니다.

답 10

위에서 본 모양은 바닥에 닿은 면의 모양과 같고
앞과 옆에서 본 모양은 각 방향에서 가장 높은 층의 모양과 같다.

교과서 + 익힘책 유형

01 쌓기나무로 쌓은 모양을 보고 위에서 본 모양을 그렸습니다. 관계있는 것끼리 이어 보시오.

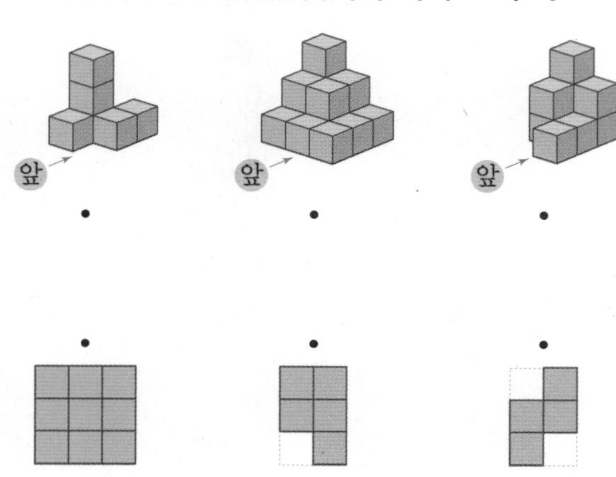

02 쌓은 모양을 위, 앞, 옆에서 본 모양입니다. 쌓은 모양으로 가능한 모양을 찾아 기호를 쓰시오.

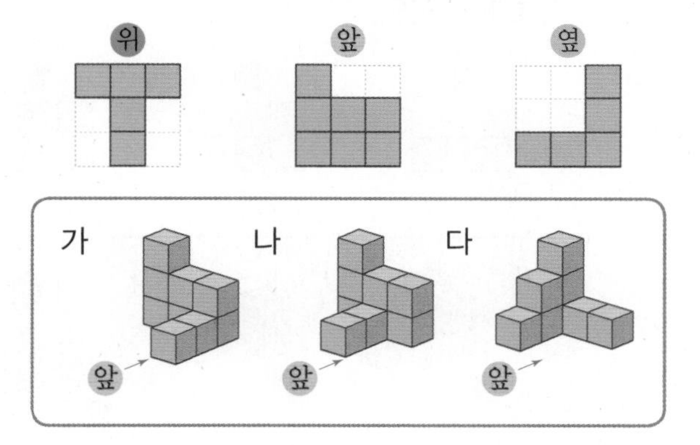

03 쌓기나무로 쌓은 모양입니다. 위, 앞, 옆에서 본 모양을 각각 찾아 기호를 써넣으시오.

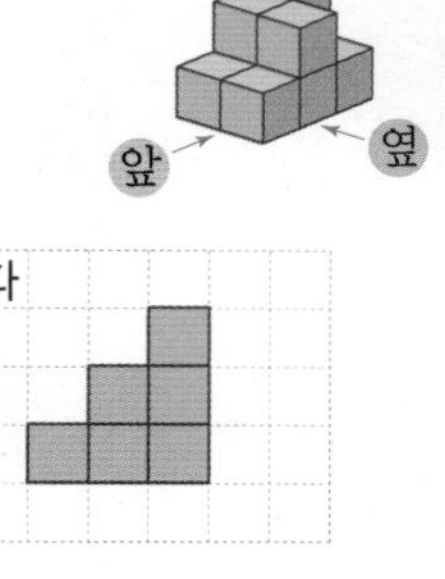

가 나 다

위에서 본 모양 (　　　　)
앞에서 본 모양 (　　　　)
옆에서 본 모양 (　　　　)

04 주어진 모양과 똑같이 쌓는 데 필요한 쌓기나무의 개수를 구하시오.

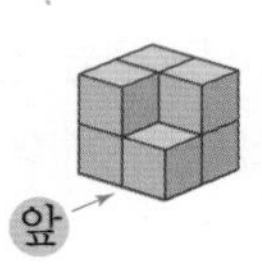

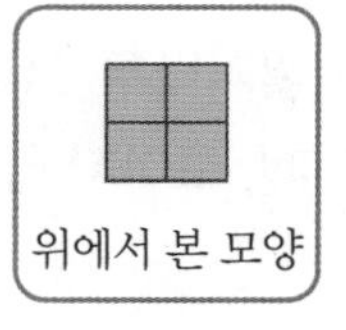

교과서 + 익힘책 응용 유형

05 쌓기나무 6개로 쌓은 모양을 위와 옆에서 본 모양입니다. 앞에서 본 모양을 그리시오.

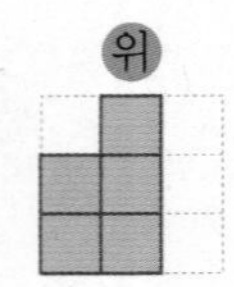

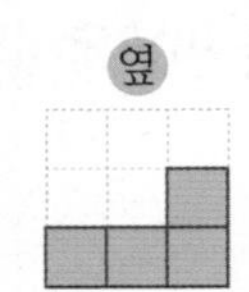

06 쌓기나무 1개의 한 모서리의 길이가 2 cm일 때, 다음과 같이 쌓은 모양의 앞에서 본 모양의 둘레는 몇 cm인지 구하시오.

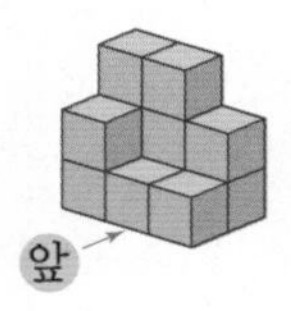

07 쌓기나무 10개로 쌓은 모양을 앞에서 보았을 때, 보이지 않는 쌓기 나무의 개수를 구하시오.

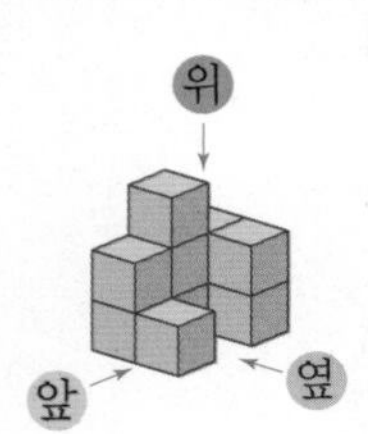

08 쌓기나무 12개로 쌓은 모양입니다. 위, 앞, 옆에서 본 모양을 각각 그리시오.

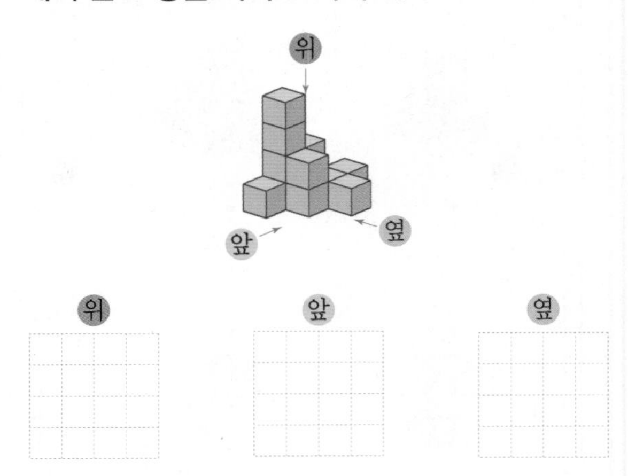

09 쌓기나무 8개로 쌓은 모양을 위, 앞, 옆에서 본 모양입니다. 쌓은 모양으로 가능한 모양을 찾아 기호를 쓰시오.

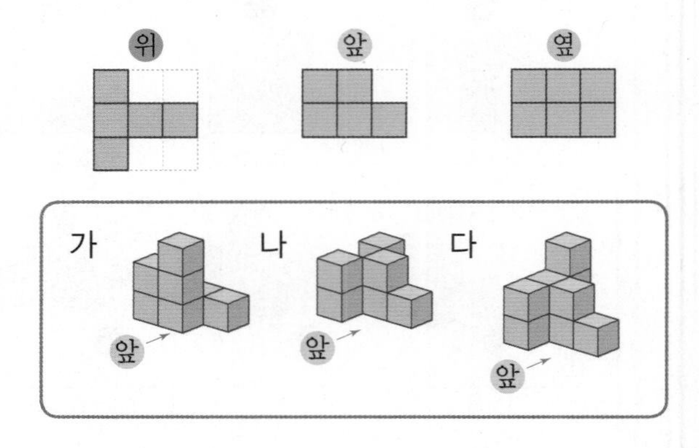

잘 틀리는 유형

10 쌓기나무로 쌓은 모양을 위, 앞, 옆에서 본 모양입니다. 똑같은 모양으로 쌓는 데 필요한 쌓기나무의 개수를 구하시오.

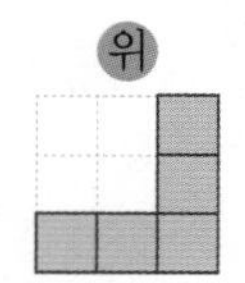

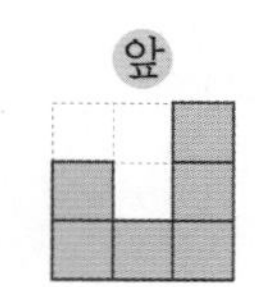

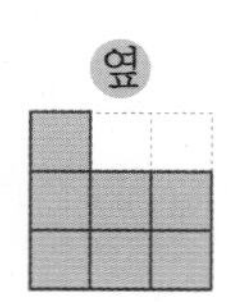

11 쌓기나무로 쌓은 모양을 위, 앞, 옆에서 본 모양입니다. 쌓은 모양으로 가능한 모양을 찾아 기호를 쓰시오.

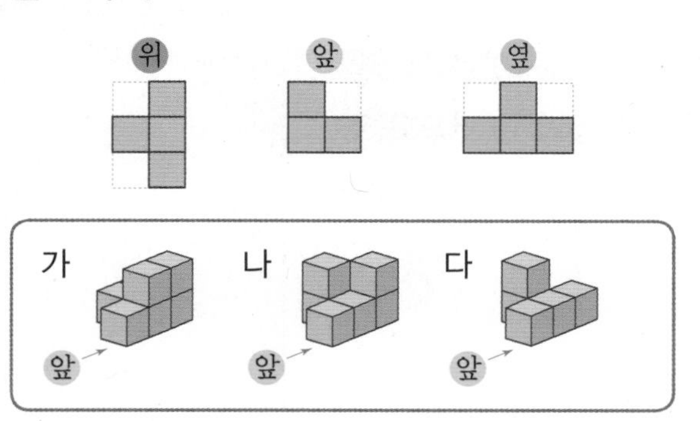

12 쌓기나무로 쌓은 모양을 옆에서 본 모양이 다른 것을 찾아 기호를 쓰시오.

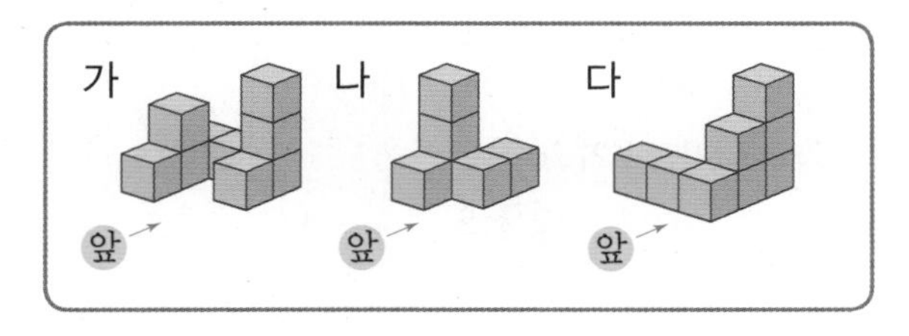

13 쌓기나무 8개로 만든 모양을 구멍이 있는 상자에 넣으려고 합니다. 상자에 넣을 수 없는 모양의 기호를 쓰시오.

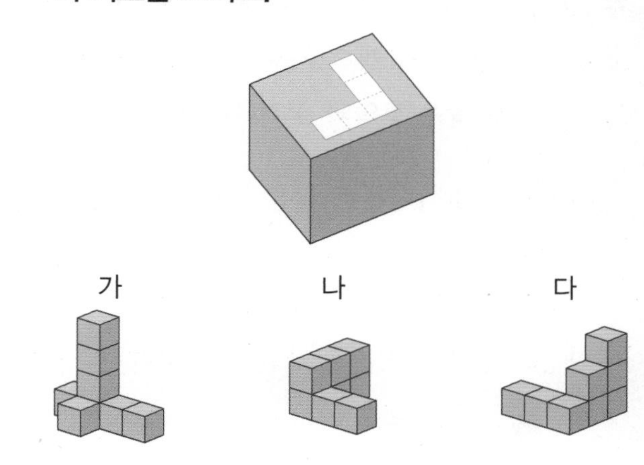

14 쌓기나무를 이용하여 상품 진열대를 만들었습니다. 진열대를 만드는 데 사용한 쌓기나무의 개수를 구하시오.

11 위에서 본 모양에 쓴 수

우리는 앞 단원에서 쌓기나무로 쌓은 모양과 위, 앞, 옆에서 본 모양을 보고 쌓은 모양과 쌓기나무의 개수를 알아보았습니다. 쌓기나무로 쌓은 모양을 위, 앞, 옆에서 본 모양으로 쌓은 모양과 쌓기나무의 개수를 정확히 알 수 있었습니다.

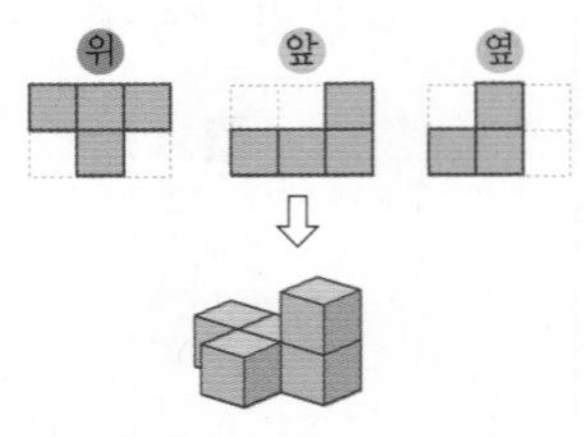

쌓기나무의 개수는 5개입니다.

그렇다면 쌓기나무로 쌓은 모양을 위, 앞, 옆에서 본 모양으로 쌓은 모양과 쌓기나무의 개수를 항상 정확하게 알 수 있을까요?

쌓기나무로 쌓은 모양을 위, 앞, 옆에서 본 모양을 보고 만든 쌓은 모양은 다음과 같이 다양한 경우가 있음을 확인할 수 있습니다.

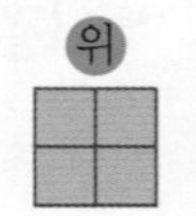

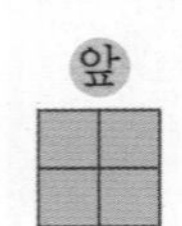

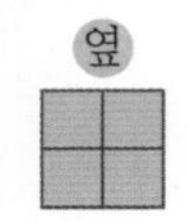

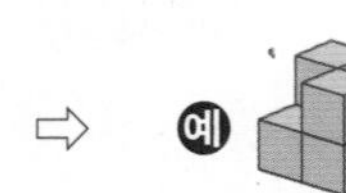

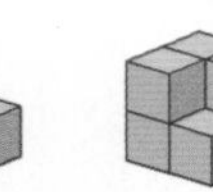

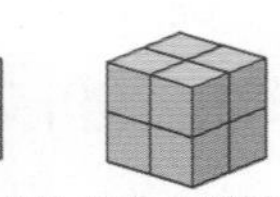

쌓기나무의 개수는 각각 6개, 7개, 8개입니다.

쌓기나무로 쌓은 모양을 나타낼 때 위, 앞, 옆에서 본 모양으로는 여러 가지 모양으로 쌓을 수도 있어서 쌓은 모양을 정확하게 알 수 없는 경우가 있습니다.

쌓은 모양과 쌓기나무의 개수가 한 가지만 나타나는 경우는 쌓기나무로 쌓은 모양을 위에서 본 모양의 각 자리에 쌓인 쌓기나무의 개수를 쓴 것을 보고 모양을 만드는 경우입니다. 이때 사용된 쌓기나무의 개수를 한 가지 경우로만 알 수 있기 때문에 쌓은 모양과 쌓기나무의 개수를 정확하게 알 수 있습니다.

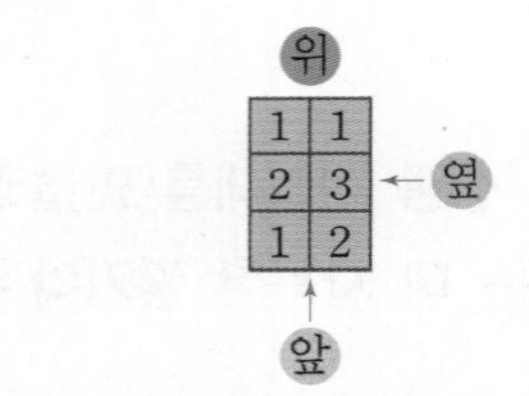

위에서 본 모양에 쌓은 쌓기나무의 개수를 쓴 것입니다.

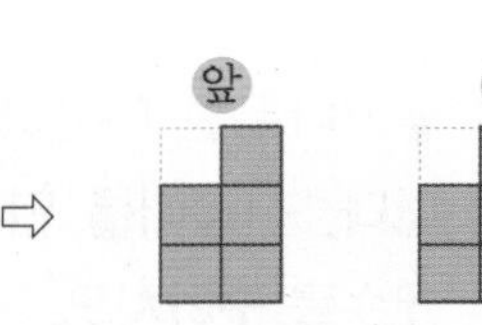

앞과 옆에서 본 모양입니다.

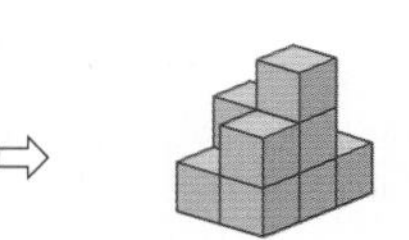

쌓은 모양이 한 가지로 나타납니다.

여기서 위에서 본 모양에 쓴 수를 보고 쌓기나무의 개수를 알아봅시다. □ 안에 알맞은 수를 써넣으시오.

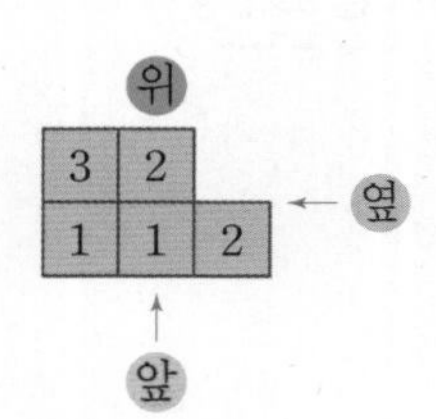

쌓기나무로 쌓은 모양을 위에서 본 모양에 쓰인 수를 모두 더하면 똑같은 모양으로 쌓는 데 필요한 쌓기나무의 개수를 구할 수 있습니다.
따라서 위에서 본 모양에 쓴 수가 왼쪽과 같은 쌓은 모양의 쌓기나무의 개수는 $3+2+1+1+2=$ □(개)입니다.

답 9

풍산자 비법 위에서 본 모양에 수를 쓴 것을 보고 쌓은 모양은 한 가지만 나타난다.

교과서 + 익힘책 유형

01 쌓기나무로 쌓은 모양을 보고 위에서 본 모양에 수를 써넣으시오.

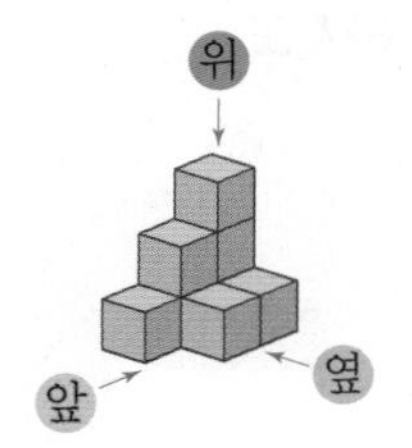

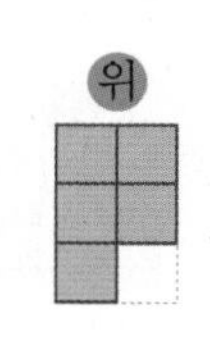

02 쌓기나무로 쌓은 모양을 보고 위에서 본 모양에 수를 썼습니다. 앞에서 본 모양을 그리시오.

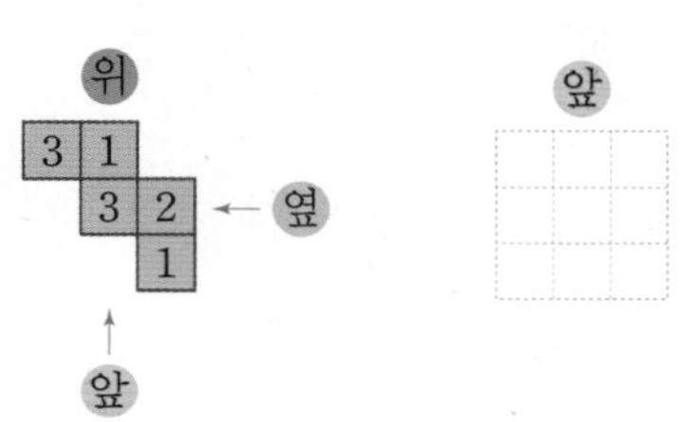

03 쌓기나무로 쌓은 모양을 보고 위에서 본 모양에 수를 썼습니다. 관계있는 것끼리 이어 보시오.

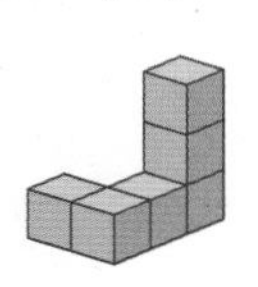

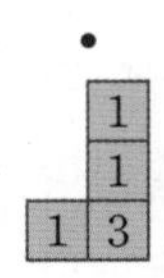

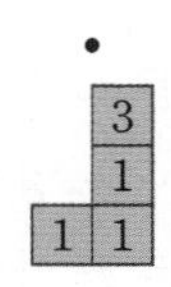

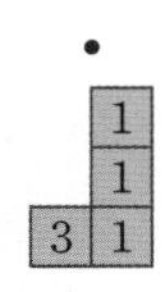

[04-07] 쌓기나무로 쌓은 모양을 위, 앞, 옆에서 본 모양입니다. 물음에 답하시오.

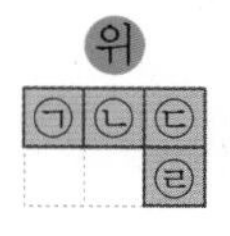

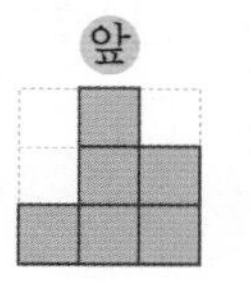

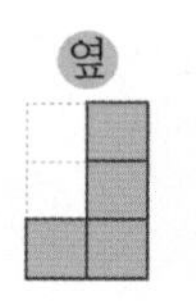

04 ㉠과 ㉡에 쌓인 쌓기나무는 각각 몇 개인지 구하시오.

05 ㉣에 쌓인 쌓기나무는 몇 개인지 구하시오.

06 ㉢에 쌓인 쌓기나무는 몇 개인지 구하시오.

07 똑같은 모양으로 쌓는 데 필요한 쌓기나무는 몇 개인지 구하시오.

교과서 + 익힘책 응용 유형

08 쌓기나무를 쌓아 모양을 만들고 위에서 본 모양에 수를 썼습니다. 쌓기나무를 더 많이 사용하여 모양을 만든 친구는 누구인지 쓰시오.

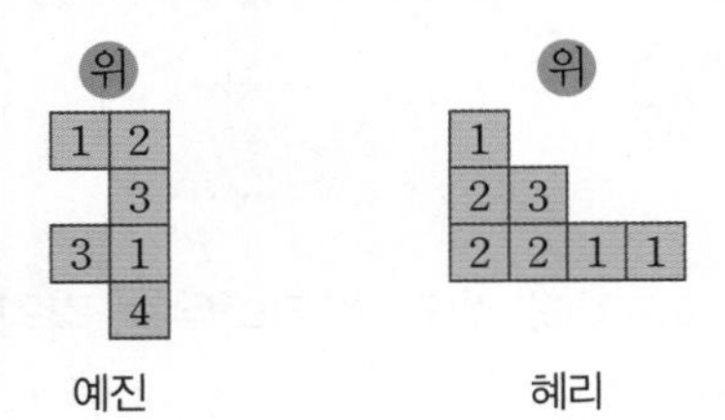

예진　　　헤리

09 쌓기나무로 쌓은 모양을 보고 위에서 본 모양에 수를 썼습니다. 쌓기나무 12개로 완성된 모양의 앞에서 본 모양을 그리시오.

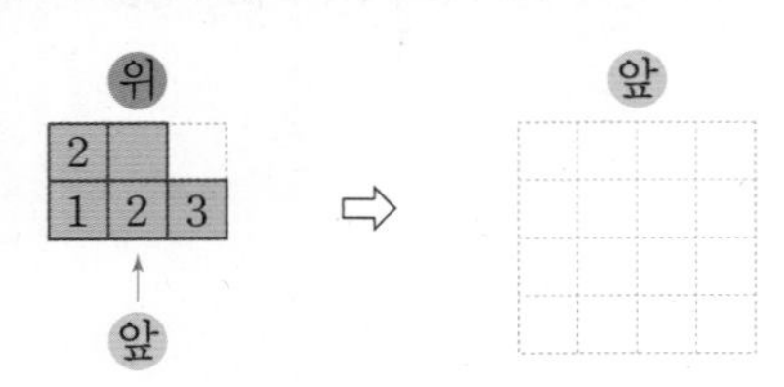

10 각 자리에 쌓인 쌓기나무에 대하여 빈칸에 알맞은 수를 써넣으시오.

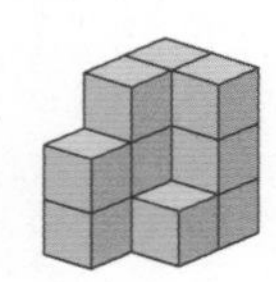

위에서 본 모양

자리	①번	②번	③번	④번	⑤번
쌓기나무의 수 (개)					

11 쌓기나무로 쌓은 모양을 위, 앞, 옆에서 본 모양입니다. 똑같은 모양을 쌓는 데 필요한 쌓기나무는 몇 개인지 구하시오.

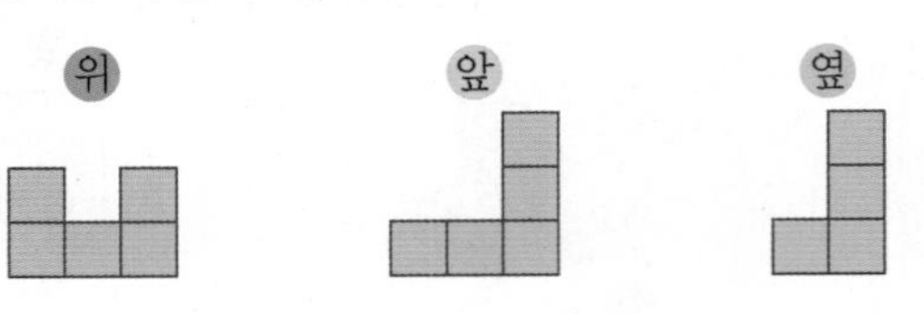

12 쌓기나무로 쌓은 모양을 보고 위에서 본 모양에 수를 썼습니다. 앞에서 본 모양과 옆에서 본 모양을 각각 그리시오.

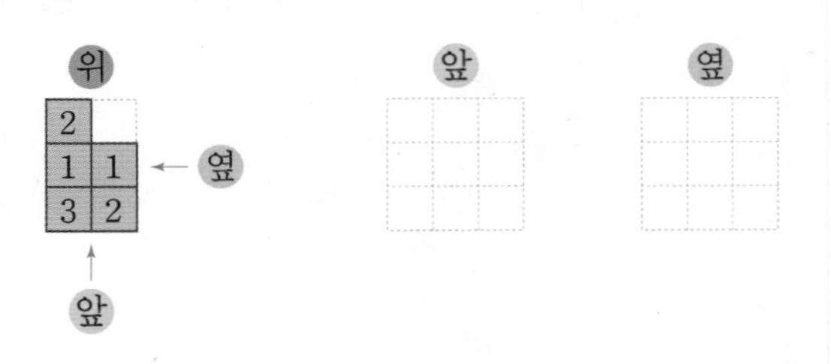

13 쌓기나무 8개를 사용하여 조건을 만족하도록 위에서 본 모양에 수를 써넣으시오.

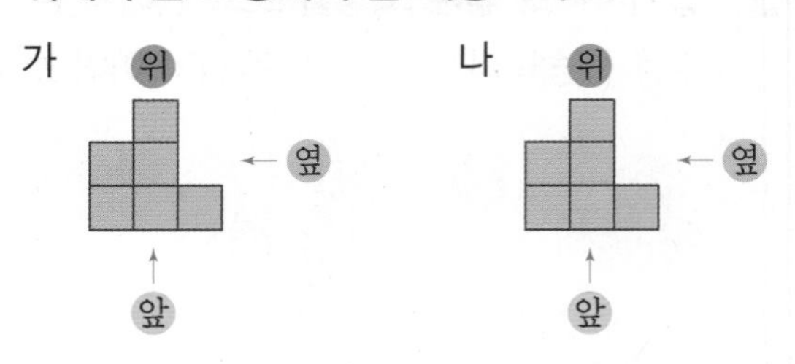

조건
- **가**와 **나**의 쌓은 모양은 서로 다릅니다.
- 위에서 본 모양이 서로 같습니다.
- 앞에서 본 모양이 서로 같습니다.
- 옆에서 본 모양이 서로 같습니다.

잘 틀리는 유형

14 쌓기나무로 쌓은 모양을 보고 위에서 본 모양에 수를 썼습니다. 앞에서 본 모양과 옆에서 본 모양을 각각 그리시오.

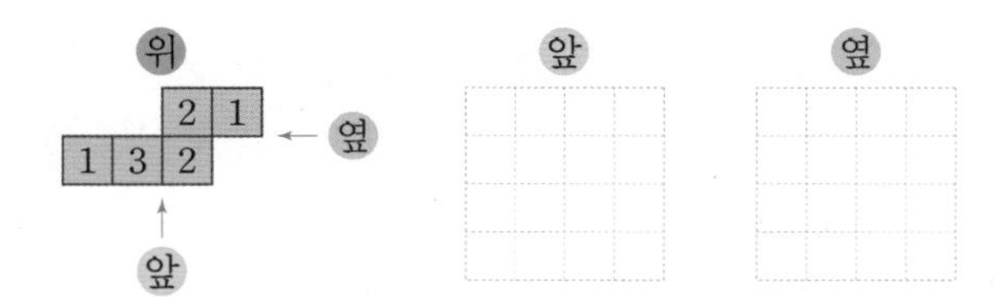

15 쌓기나무 9개를 사용하여 조건을 만족하도록 위에서 본 모양에 수를 써넣으시오.

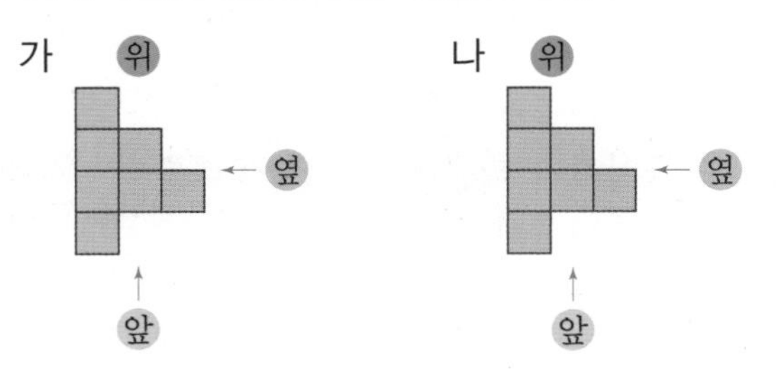

조건
- 가와 나의 쌓은 모양은 서로 다릅니다.
- 위에서 본 모양이 서로 같습니다.
- 앞에서 본 모양이 서로 같습니다.
- 옆에서 본 모양이 서로 같습니다.

16 ㉡에 있는 쌓기나무를 ㉠ 위로 올려서 모양을 완성하였습니다. 완성한 모양을 보고 위에서 본 모양을 그리고 수를 써넣으시오.

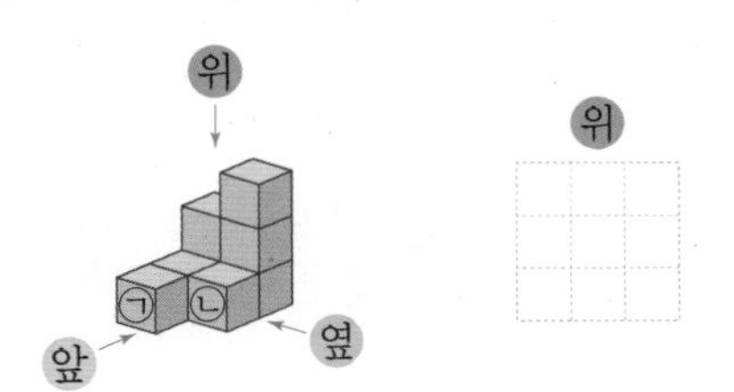

17 각 자리에 쌓인 쌓기나무에 대하여 빈칸에 알맞은 수를 써넣고, 필요한 쌓기나무의 수를 구하시오.

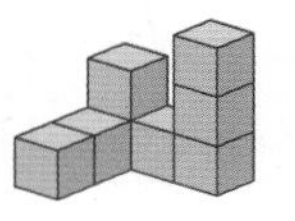

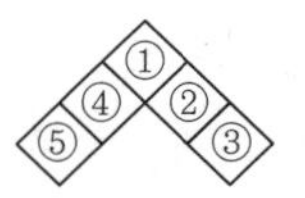

위에서 본 모양

자리	①번	②번	③번	④번	⑤번
쌓기나무의 수(개)					

⇨ 필요한 쌓기나무의 수: ________개

18 쌓기나무로 쌓은 모양을 위, 앞에서 본 모양입니다. 똑같은 모양으로 쌓는 데 필요한 쌓기나무의 개수를 구하시오.

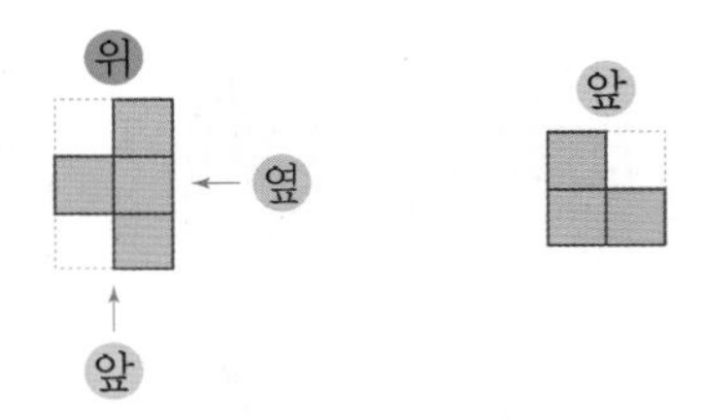

19 13개의 쌓기나무로 쌓은 모양을 위, 앞, 옆에서 본 모양입니다. ㉠과 ㉡에 쌓인 쌓기나무 개수의 차를 구하시오.

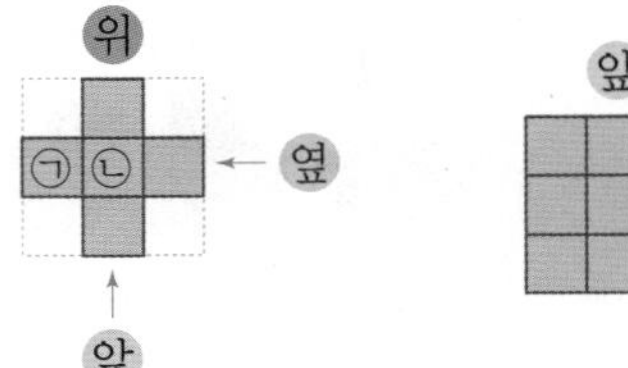

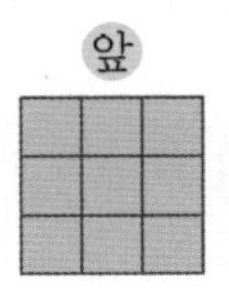

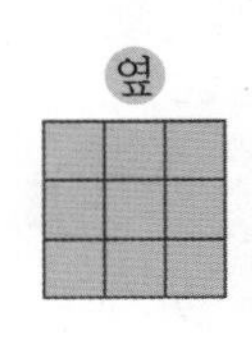

12 층별로 나타낸 모양

우리는 앞 단원에서 쌓기나무로 쌓은 모양을 정확하게 알 수 있는 방법을 알아보았습니다. 쌓기나무로 쌓은 모양을 위에서 본 모양의 각 자리에 쌓인 쌓기나무의 개수를 쓴 것을 보면 쌓은 모양과 쌓기나무의 개수를 정확하게 알 수 있었습니다.

그렇다면 쌓은 모양과 쌓기나무의 개수를 알 수 있는 다른 방법을 알아볼까요?
쌓기나무로 쌓은 모양은 다음과 같이 각 층별로 모양을 그릴 수 있습니다.
이때 1층 모양은 쌓은 모양을 위에서 본 모양과 같습니다.

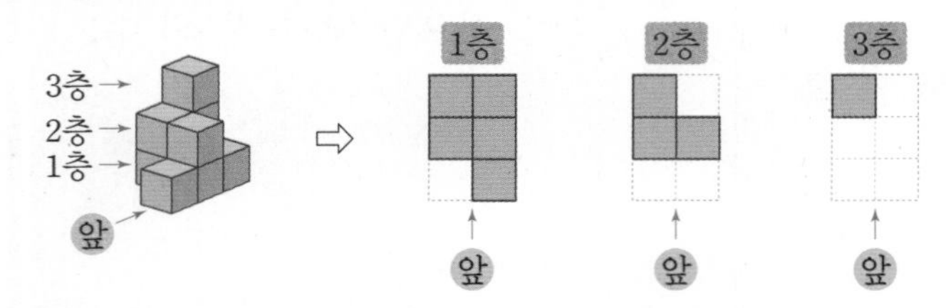

층별로 나타낸 모양대로 쌓기나무를 쌓으면 쌓은 모양이 하나로 만들어지기 때문에 층별로 나타낸 모양만으로 다음과 같이 쌓은 모양과 쌓기나무의 개수를 정확하게 알 수 있습니다.

쌓기나무로 쌓은 모양을 층별로 나타내면 각 층의 모양과 개수를 알 수 있습니다.

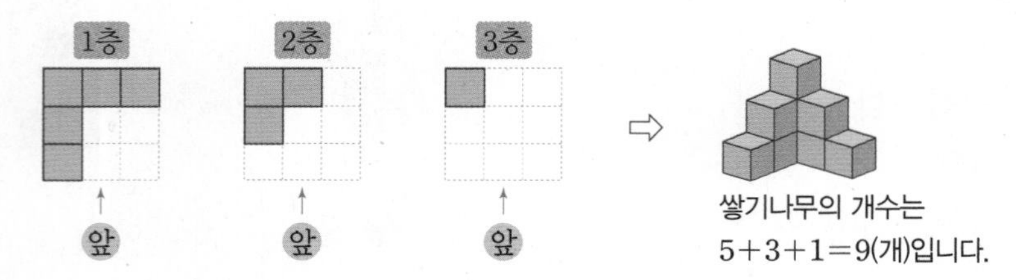

쌓기나무의 개수는 $5+3+1=9$(개)입니다.

여기서 쌓기나무로 조건에 맞게 여러 가지 모양을 만들어 봅시다. □ 안에 알맞은 수를 써넣으시오.

뒤집거나 돌려서 모양이 같으면 같은 모양입니다.

- 모양에 쌓기나무 1개를 더 붙여서 만들 수 있는 서로 다른 모양은 , , 로 모두 3가지입니다.
- 모양에 쌓기나무 1개를 더 붙여서 만들 수 있는 서로 다른 모양은

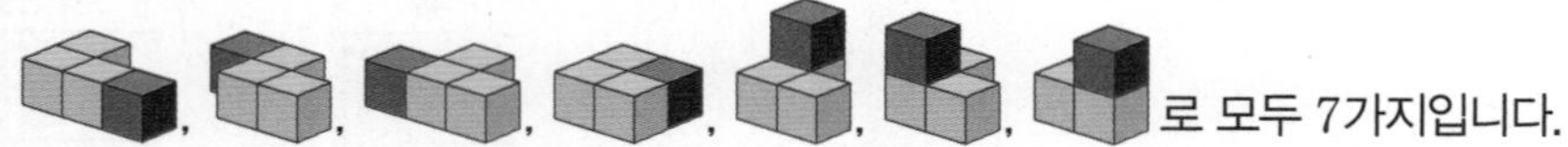

로 모두 7가지입니다.

- 쌓기나무 4개로 만들 수 있는 서로 다른 모양은 모두 □가지입니다.

답 8

쌓기나무로 쌓은 모양을 위에서 본 모양과 1층 모양은 서로 같다.

교과서 + 익힘책 유형

01 쌓기나무로 쌓은 모양을 보고 1층과 2층 모양을 그리시오.

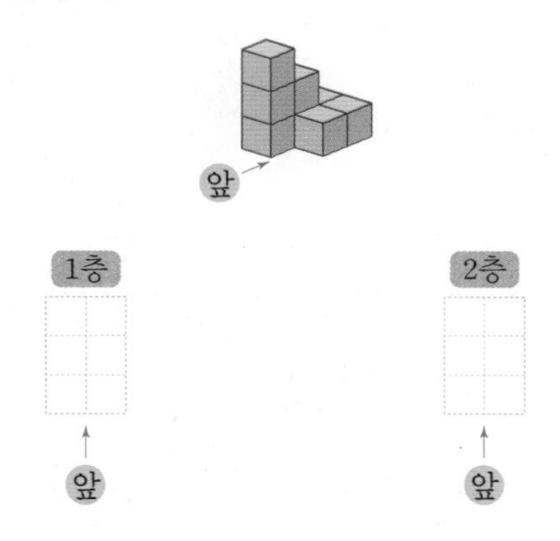

02 쌓기나무로 쌓은 모양과 1층 모양을 보고 2층과 3층 모양을 각각 그리시오.

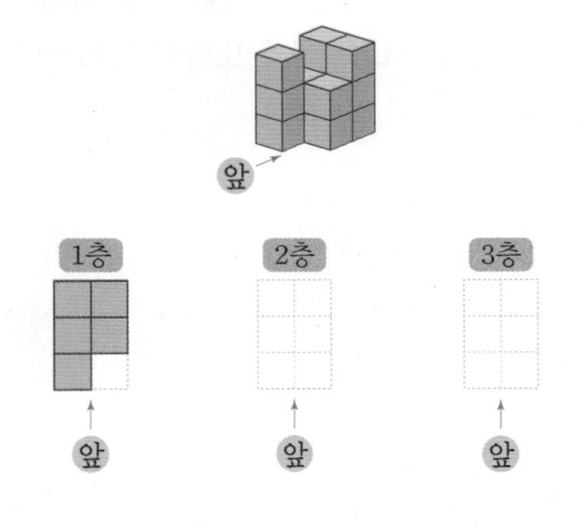

03 쌓기나무로 쌓은 모양을 층별로 나타낸 모양을 보고 쌓은 모양을 찾아 기호를 쓰시오.

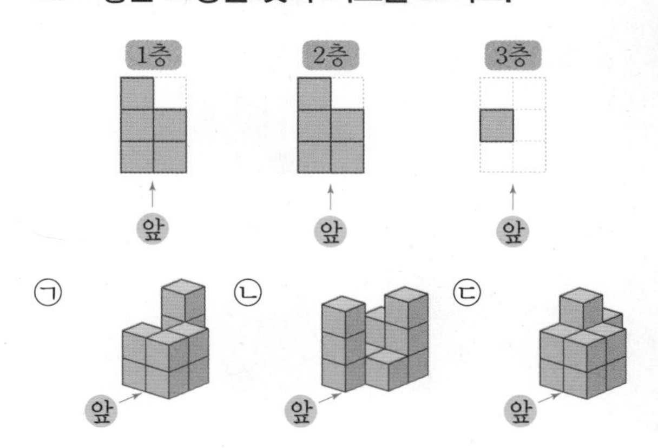

04 쌓기나무로 1층 위에 2층을 쌓으려고 합니다. 1층 모양을 보고 2층 모양으로 알맞지 않은 것의 기호를 찾아 쓰시오.

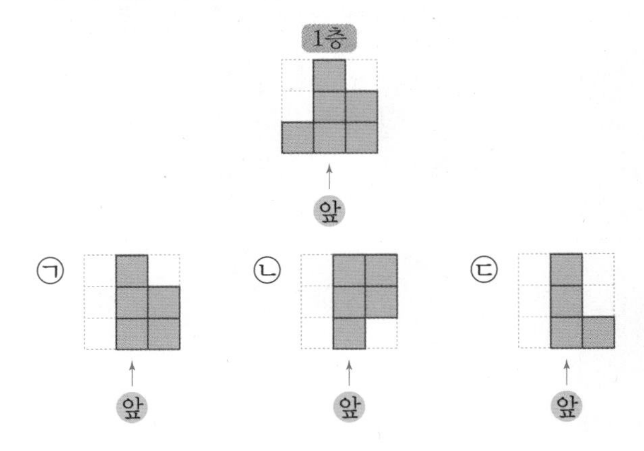

교과서 + 익힘책 응용 유형

05 쌓기나무로 쌓은 모양과 1층 모양을 보고 2층과 3층 모양을 그리시오.

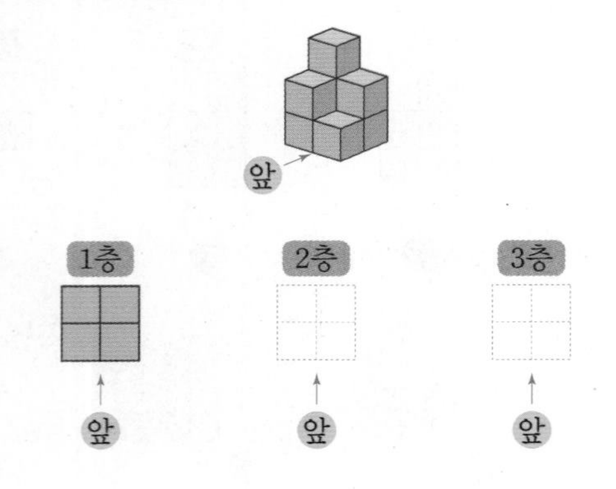

06 쌓기나무로 쌓은 모양을 층별로 나타낸 모양입니다. 위에서 본 모양을 그리고 똑같은 모양으로 쌓는 데 필요한 쌓기나무의 개수를 구하시오.

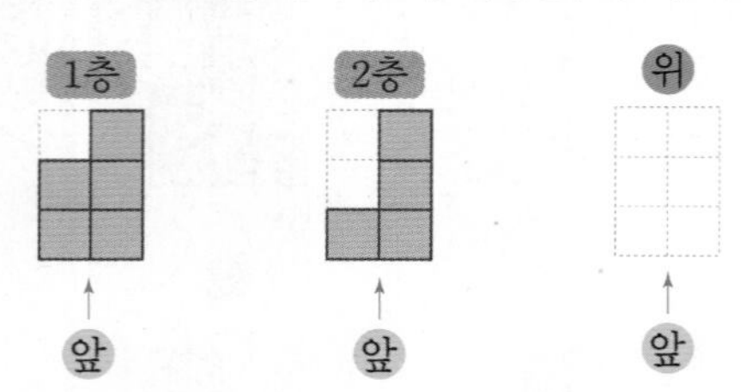

07 주어진 모양과 똑같은 모양을 쌓으려고 합니다. 필요한 쌓기나무의 수를 구하시오.

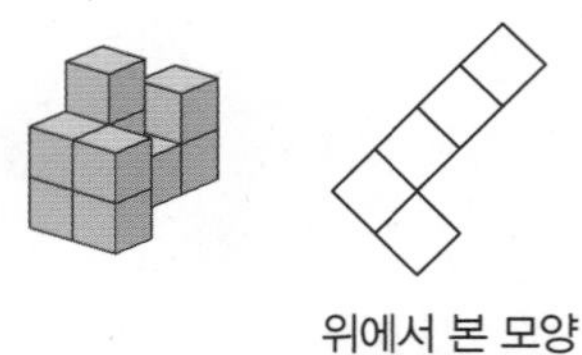

층	1	2	3
쌓기나무의 수(개)			

⇨ 필요한 쌓기나무의 수: ____________개

08 쌓기나무로 쌓은 모양을 보고 위에서 본 모양에 수를 썼습니다. 3층 모양을 그리시오.

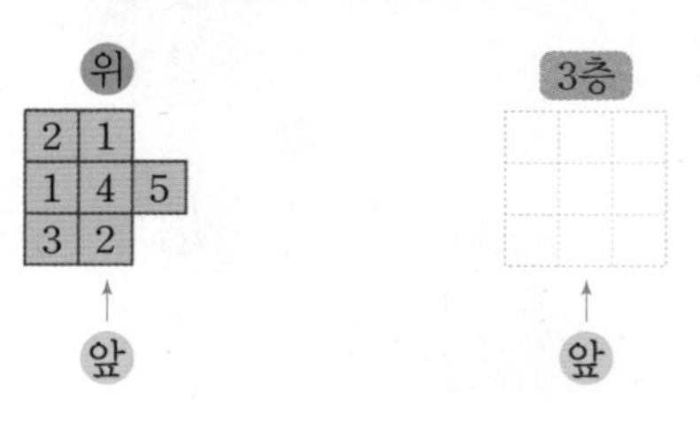

잘 틀리는 유형

09 쌓기나무로 쌓은 모양을 보고 위에서 본 모양에 수를 썼습니다. 똑같은 모양을 쌓을 때, 3층에 쌓은 쌓기나무는 몇 개인지 구하시오.

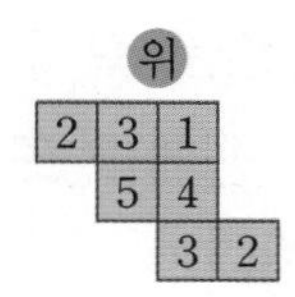

10 1층과 2층 모양을 보고, 3층에 5개의 쌓기나무를 모두 몇 가지 모양으로 쌓을 수 있는지 구하시오.

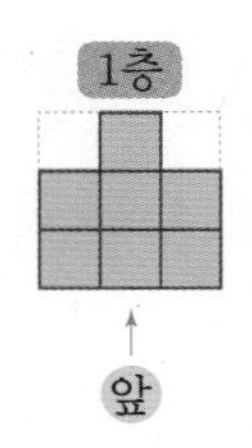

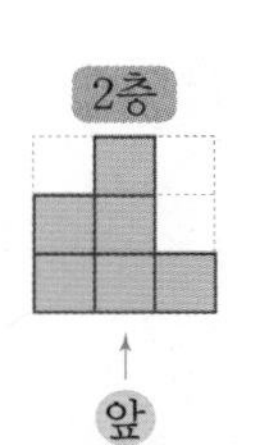

11 쌓기나무로 쌓은 모양과 1층 모양을 보고 2층과 3층 모양을 각각 그리시오.

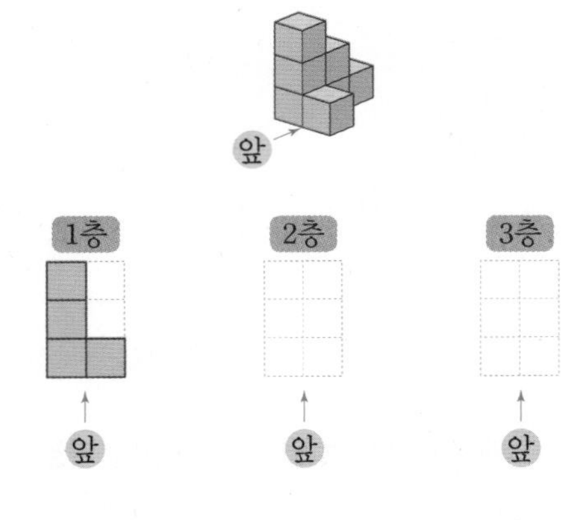

12 쌓기나무로 1층 위에 2층과 3층을 쌓으려고 합니다. 1층 모양을 보고 2층과 3층으로 알맞은 모양을 찾아 차례대로 기호를 쓰시오.

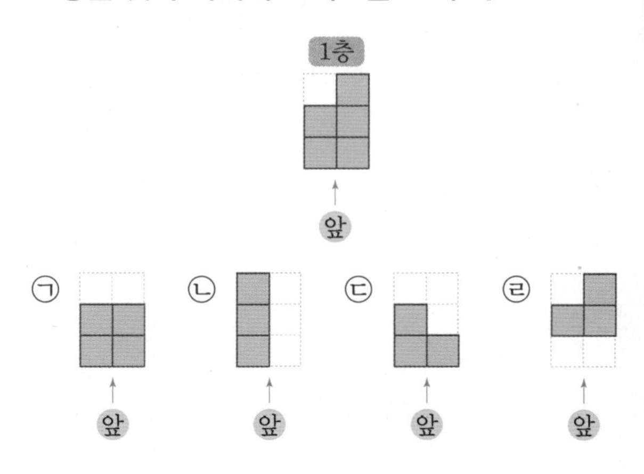

13 쌓기나무로 쌓은 모양을 층별로 나타낸 모양입니다. 앞에서 본 모양을 그리고 똑같은 모양으로 쌓는 데 필요한 쌓기나무의 개수를 구하시오.

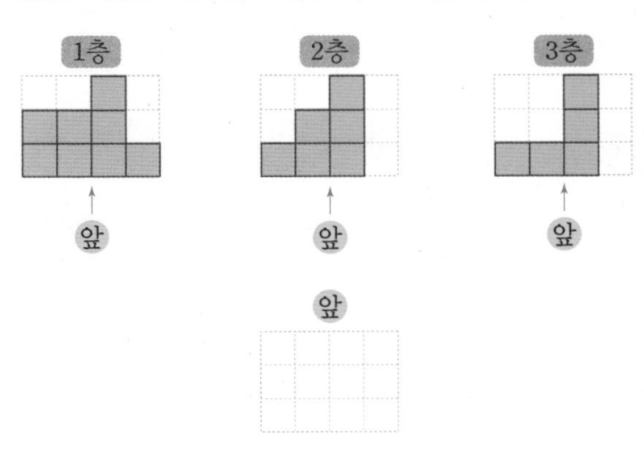

정육면체의 전개도

지금까지 우리는 공간과 입체를 배웠습니다.
쌓기나무로 만든 입체도형을 보고 사용된 쌓기나무의 개수를 구하고,
쌓기나무로 만든 입체도형의 위, 앞, 옆에서 본 모양을 표현하며,
이러한 표현을 보고 입체도형의 모양을 추측할 수 있었습니다.
즉, 공간의 도형을 평면에 표현하는 다양한 방법을 알 수 있었습니다.
[수학 5-2]에서 배운 정육면체와 직육면체의 전개도 또한
공간의 도형을 평면에 표현하는 하나의 방법입니다.
그렇다면 정육면체의 전개도는 몇 가지로 그릴 수 있는지 알아볼까요?

정육면체의 전개도는 몇 가지일까요?

정육면체의 전개도는 다음과 같이 11가지가 있습니다.

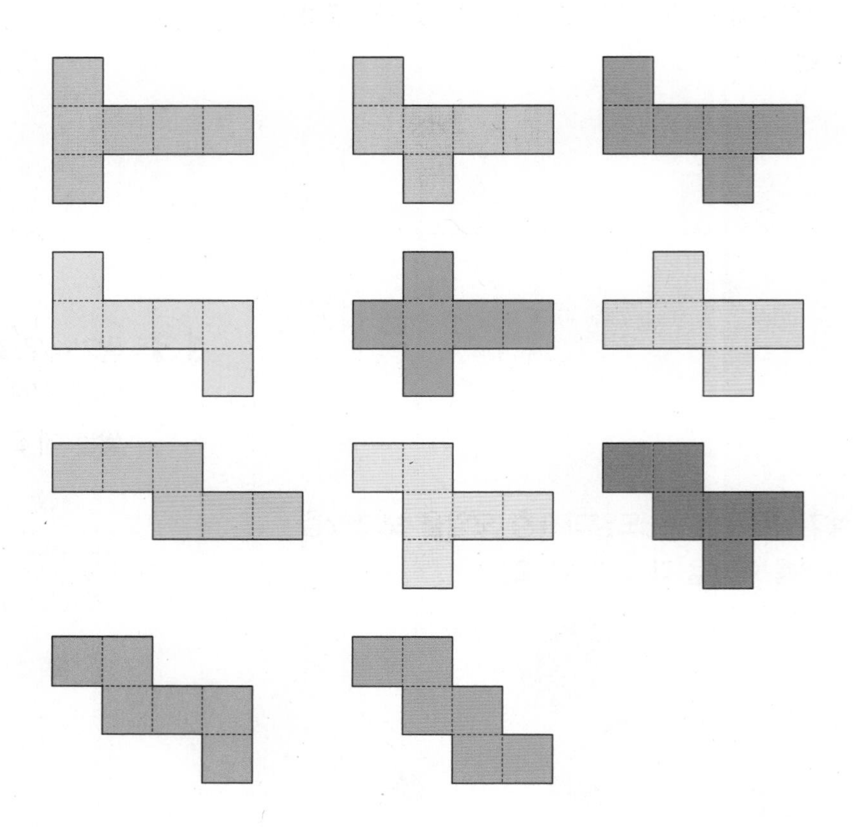

직육면체의 전개도는 몇 가지일까요?
정육면체의 전개도를 기본으로 직육면체의 전개도를 생각하면 직육면체의 가로, 세로, 높이에 따라 6가지의 다른 직사각형 모양의 면을 가질 수 있으며, 각각의 정육면체의 전개도마다 6가지의 서로 다른 직육면체의 전개도가 있으므로 직육면체의 전개도는 모두 66가지가 있습니다.
직육면체의 전개도 66가지를 인터넷을 통해 각자 찾아 봅시다.

비례식과 비례배분

공부할 내용	공부한 날
13 비의 성질	월 일
14 비례식	월 일
15 비례식의 성질	월 일
16 비례배분	월 일

13 비의 성질

우리는 **[수학 6-1]**에서 비와 비율을 알아보았습니다. 두 수를 나눗셈으로 비교하기 위해 기호 :을 사용하여 나타낸 것을 비라고 하였고, 두 수 4와 10을 비교할 때 4 : 10이라 쓰고 4 대 10이라고 읽었습니다. 비 4 : 10에서 기호 :의 오른쪽에 있는 10은 기준량이고 왼쪽에 있는 4는 비교하는 양이며 기준량에 대한 비교하는 양의 크기를 비율이라고 하였습니다. 이때 비 4 : 10을 비율로 나타내면 $\frac{4}{10}$ 또는 0.4입니다.

(비율)$=\frac{(\text{비교하는 양})}{(\text{기준량})}$

그렇다면 비의 성질을 알아볼까요?

비 4 : 10에서 기호 :앞에 있는 4를 **전항**, 뒤에 있는 10을 **후항**이라고 합니다.
비의 전항과 후항에 0이 아닌 같은 수를 곱하여도 비율은 같고,
비의 전항과 후항을 0이 아닌 같은 수로 나누어도 비율은 같습니다.

비 4 : 10의 비율은 $\frac{4}{10}$, 즉 $\frac{2}{5}$입니다.
- 4 : 10의 전항과 후항에 2를 곱하면 8 : 20 ⇨ 비율은 $\frac{8}{20}$, 즉 $\frac{2}{5}$입니다.
- 4 : 10의 전항과 후항을 2로 나누면 2 : 5 ⇨ 비율은 $\frac{2}{5}$입니다.

$\frac{2}{5}=\frac{4}{10}=\frac{8}{20}$

비의 성질을 이용하면 소수나 분수로 나타낸 비를 간단한 자연수의 비로 나타낼 수 있습니다.

- 0.2 : 0.5 ⇨ 전항과 후항에 10을 곱하면 2 : 5
- $\frac{1}{2}$: $\frac{1}{3}$ ⇨ 전항과 후항에 6을 곱하면 3 : 2

비가 소수 한 자리 수로 나타난 것은 각 항에 10을 곱하고, 비가 분수로 나타난 것은 각 항에 두 분모의 최소공배수를 곱합니다.

여기서 소수와 분수로 나타낸 비를 가장 간단한 자연수의 비로 나타내어 봅시다.
□ 안에 알맞은 것을 써넣으시오.

0.6 : $\frac{2}{5}$ ⇨ 분수를 소수로 고치면 0.6 : 0.4
⇨ 전항과 후항에 10을 곱하면 6 : 4
⇨ 전항과 후항을 6과 4의 최대공약수 2로 나누면 □

답 3 : 2

풍산자 비법
비의 전항과 후항에 0이 아닌 같은 수를 곱하거나 나누어도 비율은 같다.

교과서 + 익힘책 유형

01 □ 안에 알맞은 수를 써넣으시오.

비 3 : 5에서 전항은 □이고 후항은 □입니다.

02 □ 안에 알맞은 말을 써넣으시오.

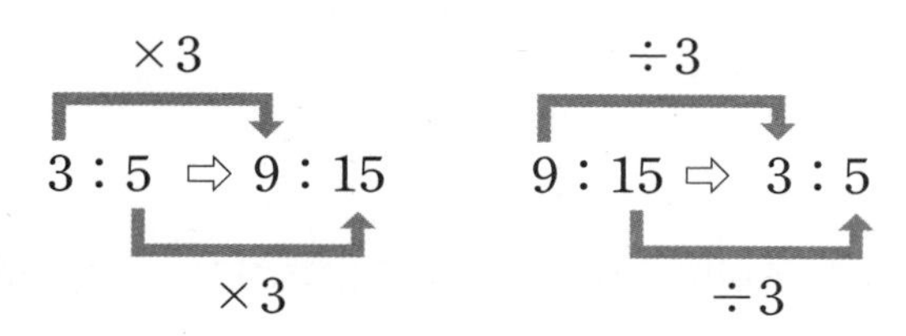

- 비의 전항과 후항에 0이 아닌 같은 수를 □ 비율은 같습니다.
- 비의 전항과 후항에 0이 아닌 같은 수로 □ 비율은 같습니다.

03 간단한 자연수의 비로 나타내시오.

(1) 0.3 : 0.7

(2) 0.13 : 0.11

(3) $\frac{1}{7} : \frac{1}{4}$

(4) $\frac{3}{5} : \frac{1}{2}$

04 □ 안에 알맞은 수를 써넣으시오.

(1)
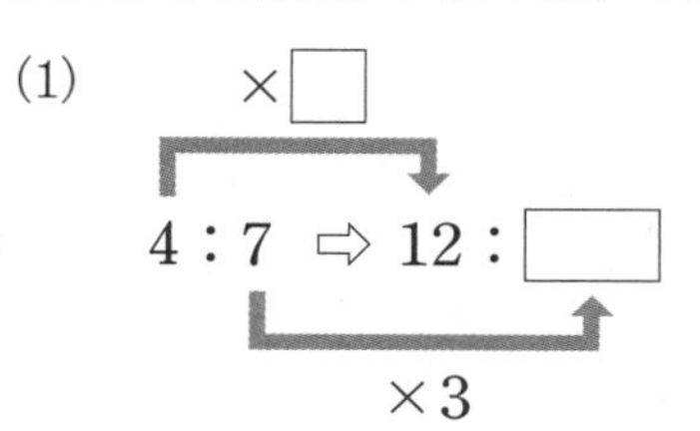

(2)
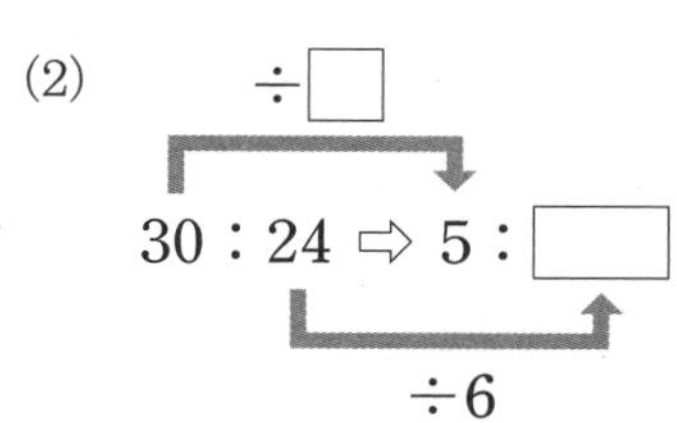

(3) $\frac{1}{6} : \frac{1}{5}$ ⇨ □ : 6

×□

(4)
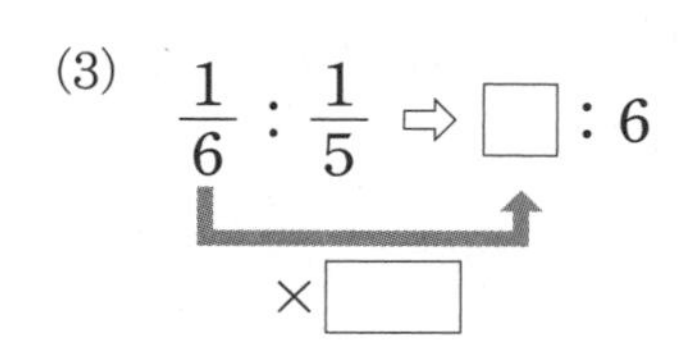

05 비의 성질을 이용하여 비율이 같은 것끼리 이어 보시오.

6 : 36 •	• 21 : 15
7 : 5 •	• 18 : 108

교과서 + 익힘책 응용 유형

06 9 : 6과 비율이 같은 비를 3개 쓰시오.

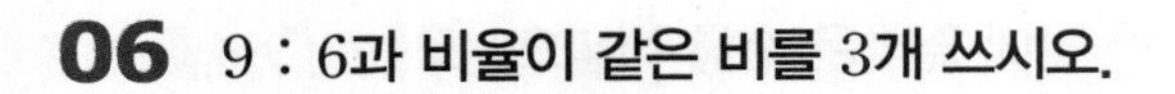

07 전항과 후항의 합이 16일 때, □ 안에 알맞은 수의 합을 구하시오.

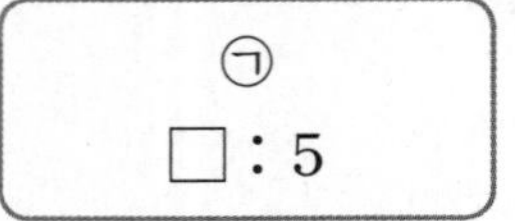

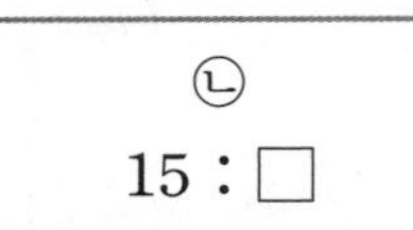

08 후항이 가장 큰 비의 비율을 분수로 나타내시오.

4 : 7　　11 : 8　　5 : 13

09 가로와 세로의 비가 7 : 6인 직사각형을 찾아 기호를 쓰시오.

10 6학년 전체 학생은 300명이고 이 중 여학생은 120명이라고 합니다. 남학생 수와 여학생 수의 비를 가장 간단한 자연수의 비로 나타내시오.

11 유리와 혜수가 같은 책을 1시간 동안 읽었는데 유리는 전체의 $\frac{2}{9}$, 혜수는 전체의 $\frac{1}{3}$을 읽었습니다. 유리와 혜수가 각각 1시간 동안 읽은 책의 양을 가장 간단한 자연수의 비로 나타내시오.

잘 틀리는 유형

12 $2.5 : 4\frac{3}{5}$을 가장 간단한 자연수의 비 ■ : ▲로 나타내었을 때, ■와 ▲의 합을 구하시오.

13 $\frac{\square}{8} : \frac{7}{12}$을 가장 간단한 자연수의 비로 나타내었더니 $15 : 14$가 되었습니다. □ 안에 알맞은 수를 구하시오.

14 선호는 물 0.9 L에 꿀 0.4 L를 넣어 꿀물을 만들었고, 혜지는 물 $\frac{1}{4}$ L에 꿀 $\frac{1}{9}$ L를 넣어 꿀물을 만들었습니다. 두 사람이 꿀물을 만들 때 사용한 꿀과 물의 양의 비를 간단한 자연수의 비로 나타내고, 두 꿀물의 진하기를 비교하시오.

15 가로와 세로의 비가 $5 : 7$인 직사각형이 있습니다. 세로가 98 cm일 때, 가로는 몇 cm인지 구하시오.

16 가장 간단한 자연수의 비로 나타냈을 때 비율이 다른 비를 찾아 기호를 쓰시오.

㉠ $117 : 108$	㉡ $81 : 63$
㉢ $108 : 84$	㉣ $90 : 70$

17 풍산 어린이 도서관의 책 400권 중 동화책은 240권이고 지학 어린이 도서관의 책 500권 중 동화책은 350권입니다. 풍산 어린이 도서관과 지학 어린이 도서관 중 동화책의 비율이 더 많은 도서관은 어디인지 쓰시오.

14 비례식

우리는 앞 단원에서 비의 성질을 알아보았습니다.
비의 전항과 후항에 0이 아닌 같은 수를 곱하여도 비율은 같고,
비의 전항과 후항을 0이 아닌 같은 수로 나누어도 비율은 같았습니다.

> 비 10 : 4의 비율은 $\frac{10}{4}$, 즉 $\frac{5}{2}$입니다.
>
> - 10 : 4의 전항과 후항에 3을 곱하면 30 : 12 ⇨ 비율은 $\frac{30}{12}$, 즉 $\frac{5}{2}$입니다.
> - 10 : 4의 전항과 후항을 2로 나누면 5 : 2 ⇨ 비율은 $\frac{5}{2}$입니다.

그렇다면 비율이 같은 두 비를 어떻게 나타낼까요?

비율이 같은 두 비를 기호 '='를 사용하여 10 : 4=30 : 12와 같이 나타낼 수 있습니다.

외항
10 : 4=30 : 12
내항

이와 같은 식을 **비례식**이라고 합니다.
비례식 10 : 4=30 : 12에서 바깥쪽에 있는 10과 12를 **외항**, 안쪽에 있는 4와 30을 **내항**이라고 합니다.
비례식을 이용하여 비의 성질을 다음과 같이 나타낼 수 있습니다.

10 : 4=30 : 12와 30 : 12=10 : 4는 비율이 같은 두 비로 나타낸 같은 비례식이지만 각 비례식에서 외항과 내항은 서로 다릅니다.

> - 3 : 5는 전항과 후항에 2를 곱한 6 : 10과 그 비율이 같습니다.
>   ⇨ 비례식에서 외항은 3, 10이고 내항은 5, 6입니다.
> - 2 : 6은 전항과 후항을 2로 나눈 1 : 3과 그 비율이 같습니다.
>   ⇨ 비례식에서 외항은 2, 3이고 내항은 6, 1입니다.

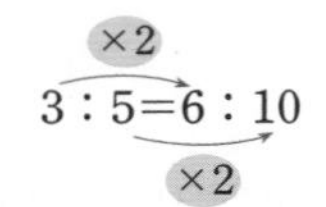

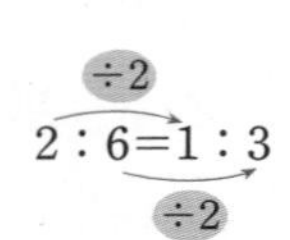

여기서 4 : 3과 16 : 12로 나타낸 비례식에서 외항과 내항을 찾아봅시다. □ 안에 알맞은 수를 써넣으시오.

4 : 3=16 : 12

⇨ 외항은 4, 12이고 내항은 3, 16입니다.

16 : 12=4 : 3

⇨ 외항은 16, □이고 내항은 12, □입니다.

답 3, 4

풍산자 비법

비례식 ⇨ 비율이 같은 두 비를 기호 '='를 사용하여 나타낸 식

교과서 + 익힘책 유형

01 □ 안에 알맞은 말을 써넣으시오.

> □이 같은 두 비를 기호 '='를 사용하여 4 : 5=8 : 10과 같이 나타낼 수 있으며 이와 같은 식을 □이라고 합니다.

02 비례식에서 외항과 내항을 각각 찾아 쓰시오.

> 1 : 5=3 : 15

외항 (　　　　　)
내항 (　　　　　)

03 비율이 같은 비를 찾아 비례식으로 나타내려고 합니다. □ 안에 어떤 비를 넣어야 하는지 찾아 기호를 쓰시오.

2 : 4=□

㉠	㉡	㉢
8 : 6	4 : 8	6 : 10

04 비례식을 찾아 기호를 쓰시오.

> ㉠ 5 : 15=3 : 1
> ㉡ 4 : 5=20 : 30
> ㉢ 3 : 7=6 : 14

05 비례식에서 내항도 되고 전항도 되는 수를 찾아 쓰시오.

> 15 : 35=3 : 7

06 비율이 같은 두 비를 찾아 비례식으로 나타내시오.

> 3 : 2　5 : 6　7 : 4　6 : 4

□ : □=□ : □

교과서 + 익힘책 응용 유형

07 비례식에서 외항도 되고 전항도 되는 수를 찾아 쓰시오.

$10:12=5:6$

08 두 비율을 보고 비례식으로 나타내시오.

$$\frac{6}{7}=\frac{24}{28}$$

$\square : \square = \square : \square$

09 외항이 8과 15이고, 내항이 5와 24인 비례식을 모두 구하시오.

10 비례식에서 □ 안에 알맞은 수가 큰 것부터 차례대로 기호를 쓰시오.

㉠ $1:5=2:\square$

㉡ $2:7=\square:21$

㉢ $3:\square=9:24$

㉣ $\square:9=36:81$

11 비율이 $\frac{3}{4}$으로 같은 두 비로 나타낸 비례식이 되도록 □ 안에 알맞은 수의 합을 구하시오.

$9:\square=15:\square$

12 비례식에서 ㉠과 ㉡에 알맞은 수의 차를 구하시오.

$8:5=72:$ ㉠

$9:$ ㉡ $=27:51$

잘 틀리는 유형

13 비례식에서 □ 안에 알맞은 수가 작은 것부터 차례대로 기호를 쓰시오.

㉠ 66 : 19=□ : 57
㉡ 72 : □=288 : 60
㉢ □ : 15=150 : 75
㉣ 72 : 32=□ : 4

14 외항이 3과 20이고, 내항이 4와 15인 비례식을 모두 구하시오.

15 비례식 2 : 9=6 : 27에 대해 잘못 말한 친구는 누구인지 쓰시오.

예서: 2 : 9와 6 : 27 두 비의 비율이 같기 때문에 비례식으로 나타낼 수 있어.
우주: 외항인 수들을 곱하면 54야.
준기: 내항은 2와 6이야.

16 비율이 같은 두 비를 찾아 비례식으로 나타내시오.

20 : 3　　10 : 5　　60 : 9　　15 : 5

□ : □=□ : □

17 두 비율을 보고 비례식으로 나타내시오.

(1) $\frac{3}{7}=\frac{12}{28}$

(2) $\frac{5}{9}=\frac{35}{63}$

18 조건에 맞게 비례식을 완성하시오.

• 두 비의 비율은 $\frac{5}{7}$입니다.
• 내항인 수들을 곱하면 105입니다.

5 : □=□ : □

15 비례식의 성질

우리는 앞 단원에서 비례식을 알아보았습니다. 비율이 같은 두 비를 기호 '='를 사용하여 2 : 3=6 : 9와 같이 나타낼 수 있고, 이와 같은 식을 비례식이라고 하였습니다. 비례식 2 : 3=6 : 9에서 바깥쪽에 있는 2와 9를 외항, 안쪽에 있는 3과 6을 내항이라고 합니다.

그렇다면 비례식의 성질을 알아볼까요?

비례식에서 외항의 곱과 내항의 곱은 같습니다.

- 외항의 곱은 $4\times9=36$입니다.
- 내항의 곱은 $3\times12=36$입니다.
- (외항의 곱)=(내항의 곱)이므로 비례식입니다.

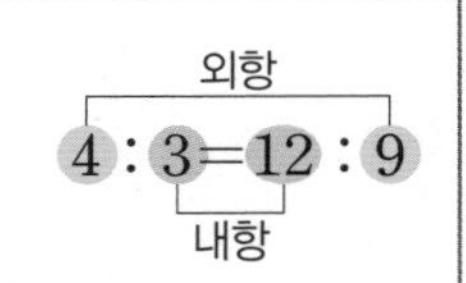

비례식의 성질을 이용하면 주어진 식이 비례식인지 비례식이 아닌지 쉽게 알 수 있습니다.

비례식의 성질을 활용하여 다음과 같이 다양한 문제를 해결할 수 있습니다.

- 4 : 5=16 : □에서 □ 안에 알맞은 수를 구해 봅시다.
  외항의 곱은 4×□, 내항의 곱은 5×16이고 외항의 곱과 내항의 곱은 같으므로
  4×□=5×16, 4×□=80, □=20
- 자동차가 일정한 빠르기로 8 km를 달리는 데 5분이 걸렸습니다.
  같은 빠르기로 72 km를 달린다면 몇 분이 걸립니까?
  ⇨ 자동차가 72 km를 달리는 데 걸리는 시간을 □분이라 하고
  비례식을 세우면 8 : 5=72 : □입니다. 외항의 곱과 내항의 곱은 같으므로
  8×□=5×72, 8×□=360, □=45
  따라서 자동차가 같은 빠르기로 72 km를 달린다면 45분이 걸립니다.

여기서 비례식의 성질을 이용하여 비례식인지 비례식이 아닌지 알아봅시다. □ 안에 알맞은 것을 써넣으시오.

- 5 : 8=20 : 32 ⇨ 외항의 곱은 $5\times32=160$, 내항의 곱은 $8\times20=160$이고 외항의 곱과 내항의 곱은 같으므로 비례식입니다.
- 12 : 10=6 : 4 ⇨ 외항의 곱은 $12\times4=48$, 내항의 곱은 $10\times6=60$이고 외항의 곱과 내항의 곱이 다르므로 □.

답 비례식이 아닙니다

풍산자 비법

비례식에서 외항의 곱과 내항의 곱은 같다.

교과서 + 익힘책 유형

01 비례식을 보고 □ 안에 알맞은 것을 써넣으시오.

5 : 6=30 : 36	
외항의 곱	□×□=□
내항의 곱	□×□=□

비례식에서 외항의 곱과 내항의 곱은 □.

02 비례식이 옳은 것을 찾아 기호를 쓰시오.

㉠ $12 : 13=\frac{1}{12} : \frac{1}{13}$

㉡ 0.3 : 0.4=20 : 30

㉢ 4 : 9=20 : 45

03 비례식의 성질을 이용하여 □ 안에 알맞은 수를 써넣으시오.

(1) 42 : □=21 : 8

(2) 0.8 : 0.9=□ : 18

(3) 12 : 15=4 : □

(4) □ : 11=10 : 55

04 비례식에서 16×□의 값을 구하시오.

16 : 20=4 : □

[05-06] 글을 읽고 물음에 답하시오.

딸기와 바나나를 5 : 3의 비로 섞어서 주스를 만들려고 합니다. 딸기를 150 g 넣으면 바나나는 몇 g 넣어야 합니까?

05 □ 안에 알맞은 수를 써넣으시오.

바나나의 양을 ★g이라 하고
비례식을 세우면 5 : 3=□ : ★

06 딸기를 150 g 넣을 때, 바나나는 몇 g을 넣어야 하는지 구하시오.

교과서 + 익힘책 응용 유형

07 비례식에서 외항의 곱이 180일 때, ㉠과 ㉡의 값을 각각 구하시오.

$9:5=$㉠$:$㉡

08 비례식의 성질을 이용하여 □ 안에 알맞은 수를 써넣으시오.

(1) $13.5:4=\square:8$

(2) $\frac{5}{9}:\square=5:3$

(3) $\square:0.4=25:1$

09 8분 동안 20개의 아이스크림을 만드는 기계로 60개의 아이스크림을 만들려고 합니다. 아이스크림을 만드는 데 걸리는 시간을 구하기 위한 과정을 잘못 설명한 친구는 누구인지 쓰시오.

민아: 아이스크림을 만드는 데 걸리는 시간을 □분이라고 하고 비례식을 세우면 $8:20=60:\square$야.
혜성: 아이스크림 60개를 만들기 위해서는 24분이 걸려.

10 관계있는 것끼리 이어 보시오.

$\square:11=16:\square$ •	• $\square:20=51:\square$
$3:\square=\square:80$ •	• $\square:16=15:\square$
$17:\square=\square:60$ •	• $8:\square=\square:22$

11 쌀과 보리를 $8:3$으로 섞어 밥을 지으려고 합니다. 쌀을 400 g 넣으면 보리는 몇 g을 넣어야 하는지 구하시오.

12 색연필이 3자루에 3600원일 때, 색연필 9자루는 얼마인지 구하시오.

잘 틀리는 유형

13 같은 일을 하는데 초보자는 8시간 일해야 끝나고 숙련자는 6시간 일해야 끝난다고 합니다. 초보자가 4시간 일한 만큼 일을 하려면 숙련자는 몇 시간 일해야 하는지 구하시오.

14 문제를 해결하기 위해 혁준이와 민찬이가 대화를 나누고 있습니다. 잘못 말한 친구는 누구인지 쓰시오.

문제

피자 5판을 만들려면 토마토 9개가 필요합니다. 피자 10판을 만들려면 토마토가 몇 개 필요할까요?

혁준: 피자를 5판 만드는 데 필요한 토마토의 수는 피자 수보다 4개 더 많아. 그래서 피자 10판을 만들려면 토마토는 14개가 필요해.

민찬: 필요한 토마토의 개수를 □개라고 하면 $5:9=10:□$이야. 내항의 곱인 90과 외항의 곱인 $5\times□$가 같으니까 □는 18이라는 것을 알 수 있어. 그래서 토마토는 18개가 필요해.

15 5장의 수 카드 중에서 4장을 골라 비례식을 만드시오.

16 ㉠과 ㉡의 곱이 300보다 작은 8의 배수일 때, 비례식에서 □ 안에 들어갈 수 있는 가장 큰 자연수를 구하시오.

㉠ : 6=□ : ㉡

17 가로와 세로의 비가 $7:3$인 직사각형 모양의 화단이 있습니다. 가로가 210 cm일 때, 세로는 몇 cm인지 비의 성질과 비례식의 성질을 이용하여 두 가지 방법으로 구하시오.

16 비례배분

우리는 **[수학 3-2]** 분수에서 부분이 전체의 얼마인지를 분수로 나타내는 방법을 알아보았습니다. 부분이 전체의 얼마인지 분수로 나타낼 때에는 전체는 분모에, 부분은 분자에 표현하였고, 전체에 대한 분수만큼은 전체의 수를 분수의 분모만큼 나눈 다음 분자를 곱하여 구할 수 있었습니다.

8의 $\frac{2}{4}$는 8을 4부분으로 나눈 것 중의 2이므로 4입니다.
$\left(\frac{2}{4}\text{는 } \frac{1}{4}\text{의 2배이므로 } 2\times2=4\right)$

그렇다면 전체에 대한 비만큼은 어떻게 구할까요?

영미와 민주가 사탕 10개를 2 : 3의 비로 나누어 가지려고 할 때, 사탕을 어떻게 나누어 가져야 하는지 알아봅시다.

영미와 민주가 2 : 3의 비로 나누어 가진다고 하면 영미는 전체 2+3, 즉 5 중에서 2만큼을 가지고 민주는 전체 5 중에서 3만큼을 가지게 됩니다.

따라서 사탕 10개 중에서 영미는 $\frac{2}{5}$를 가지므로 $10\times\frac{2}{5}=4$(개), 민주는 $\frac{3}{5}$을 가지므로 $10\times\frac{3}{5}=6$(개)를 가집니다.

이와 같이 전체를 주어진 비로 배분하는 것을 **비례배분**이라고 합니다.

비례배분을 할 때에는 주어진 비의 전항과 후항의 합을 분모로 하는 분수의 비로 고쳐서 계산하면 편리합니다.

비례배분을 할 때에는 전체를 몇으로 나누어야 하는지 생각합니다.

[700을 3 : 4로 비례배분하기]

$700\times\frac{3}{3+4}=700\times\frac{3}{7}=300$, $700\times\frac{4}{3+4}=700\times\frac{4}{7}=400$

따라서 700을 3 : 4로 비례배분하면 300과 400입니다.

여기서 비의 성질을 이용하여 비례배분을 하는 방법을 알아봅시다. □ 안에 알맞은 수를 써넣으시오.

구슬 700개를 민주와 영미가 4 : 3으로 나누어 가지려고 합니다. 민주가 가지는 구슬은 몇 개일까요?

민주가 가지는 구슬을 □개라고 하면 (전체 구슬) : (민주가 가지는 구슬)은 7 : 4=700 : □입니다.
7 : 4의 전항과 후항에 100을 곱하면 700 : 400이므로 □=400입니다.
따라서 민주가 가지는 구슬은 □개입니다.

답 400

비례배분 ⇨ 전체를 주어진 비로 배분하는 것

교과서 + 익힘책 유형

01 초콜릿 20개를 진아와 정훈이가 2 : 3으로 나누었을 때 이를 그림으로 나타내고 □ 안에 알맞은 수를 써넣으시오.

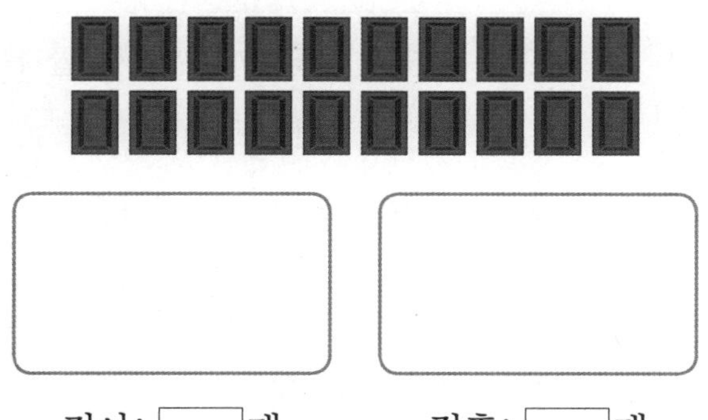

진아: □개　　정훈: □개

[02-03] 구슬 12개를 승지와 유리가 1 : 3으로 나누어 가지려고 합니다. 물음에 답하시오.

02 승지와 유리가 가지는 구슬은 각각 전체의 몇 분의 몇인지 구하시오.

03 승지와 유리가 가지는 구슬은 각각 몇 개인지 구하시오.

04 8을 1 : 3으로 비례배분하려고 합니다. □ 안에 알맞은 수를 써넣으시오.

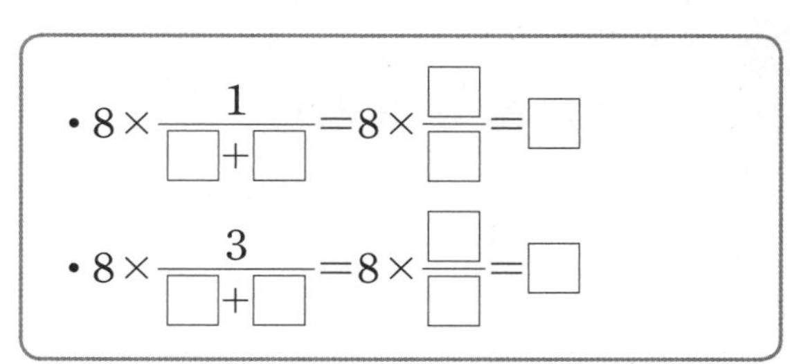

- $8\times\frac{1}{\square+\square}=8\times\frac{\square}{\square}=\square$
- $8\times\frac{3}{\square+\square}=8\times\frac{\square}{\square}=\square$

05 □ 안의 수를 주어진 비로 비례배분하여 [,] 안에 쓰시오.

(1) 14　3 : 4 ⇨ [,]

(2) 27　4 : 5 ⇨ [,]

(3) 40　3 : 7 ⇨ [,]

(4) 42　5 : 2 ⇨ [,]

06 1000원을 준서와 동생에게 3 : 2로 나누어 줄 때 두 사람이 각각 갖게 되는 용돈은 얼마인지 구하시오.

교과서 + 익힘책 응용 유형

07 　　 안의 수를 주어진 비로 비례배분하여 [　　,　　] 안에 나타내었습니다. 아래에서 결과를 찾아 해당하는 자음과 모음을 □ 안에 넣어 낱말을 완성하시오.

20	2 : 8 ⇨	[ㅎ , ㄱ]
36	2 : 7 ⇨	[ㅇ , ㅂ]
44	6 : 5 ⇨	[ㅐ , ㅗ]

4	24	8
□	□	□

28	20	16
□	□	□

08 딸기 450개를 가와 나의 두 상자에 2 : 3으로 나누어 담으려고 합니다. 두 상자에 담을 딸기의 수는 각각 전체의 몇 분의 몇인지 쓰고 딸기의 수를 각각 써넣으시오.

	가	나
분수		
딸기의 수(개)		

09 어느 날 낮과 밤의 길이의 비가 5 : 3이라면 밤은 몇 시간인지 구하시오.

10 밀가루 720 g을 3 : 6으로 나누어 식빵과 쿠키를 만들려고 합니다. 잘못 설명한 친구는 누구인지 쓰시오.

> 선영: 식빵을 만드는 데 필요한 밀가루의 양은 전체의 $\frac{3}{9}$이야.
>
> 정원: 쿠키를 만드는 데 밀가루 240 g을 사용했어.

11 어머니께서 주신 용돈 14000원을 언니와 혜정이가 4 : 3으로 나누어 가지려고 합니다. 언니가 갖게 되는 용돈은 얼마인지 구하시오.

12 연필 48자루를 기준이랑 혜나가 5 : 7로 나누어 가졌습니다. 두 사람 중에서 누가 연필을 몇 자루 더 많이 가졌는지 구하시오.

잘 틀리는 유형

13 초콜릿을 민주와 지민이가 $3 : 5$로 나누어 가졌더니 민주는 초콜렛 27개를 가지게 되었습니다. 나누어 가지기 전의 초콜릿은 모두 몇 개인지 구하시오.

14 가로와 세로의 비가 $2 : 6$이고 둘레가 64 cm인 직사각형이 있습니다. 직사각형의 세로는 몇 cm인지 두 가지 방법으로 구하시오.

[비례배분]

[비례식의 성질 이용]

15 조건을 만족하는 분수를 구하시오.

- 분모와 분자의 합이 108입니다.
- 기약분수로 나타내면 $\frac{7}{11}$입니다.

16 가로와 세로의 비가 $2 : 5$이고, 가로와 세로의 합이 42 cm인 직사각형이 있습니다. 이 직사각형의 넓이는 몇 cm^2인지 구하시오.

17 옥수수 56개를 할아버지와 삼촌께 $0.5 : 0.3$의 비로 나누어 드리려고 합니다. 할아버지와 삼촌께 드려야 하는 옥수수는 전체의 몇 분의 몇인지 쓰고 옥수수의 수를 각각 써넣으시오.

	할아버지	삼촌
분수		
옥수수의 수(개)		

18 색종이 24장을 영미와 서진이가 □ : □로 나누어 가졌더니 영미는 10장, 서진이는 14장을 가졌습니다. 영미와 서진이가 나누어 가진 비를 가장 간단한 자연수의 비로 나타내시오.

등식의 성질

지금까지 우리는 비례식과 비례배분을 배웠습니다.
비의 성질에서 비의 전항과 후항에 0이 아닌 같은 수를 곱하거나 나누어도 비율은 같았습니다.
등호 =를 사용한 식에서도 이와 비슷한 성질이 있는데 살펴볼까요?
중학교에서 자세히 배우지만 여기서 살짝만 알아봅시다.

등식의 성질은 무엇일까요?

23+□=43과 같이 등호 =를 사용하여 나타낸 식을 등식이라고 합니다.
등식에서 등호 =의 왼쪽 부분을 좌변, 오른쪽 부분을 우변이라 하고 좌변과 우변을 통틀어 양변이라고 합니다.
등식은 다음과 같은 성질이 있습니다.

- 등식의 양변에 같은 수를 더하여도 등식은 성립한다.
  $a=b$이면 $a+c=b+c$
- 등식의 양변에서 같은 수를 빼어도 등식은 성립한다.
  $a=b$이면 $a-c=b-c$
- 등식의 양변에 같은 수를 곱하여도 등식은 성립한다.
  $a=b$이면 $a\times c=b\times c$
- 등식의 양변을 0이 아닌 같은 수로 나누어도 등식은 성립한다.
  $a=b$이면 $\frac{a}{c}=\frac{b}{c}$ (단, $c\neq0$)

등식의 성질은 다음과 같이 평형을 이루는 저울을 생각하면 이해하기 쉽습니다.
평형을 이루고 있는 저울의 양쪽 접시에 같은 무게의 물건을 올려놓거나 양쪽 접시에서 같은 무게의 물건을 내려놓아도 저울은 평형을 이룹니다.

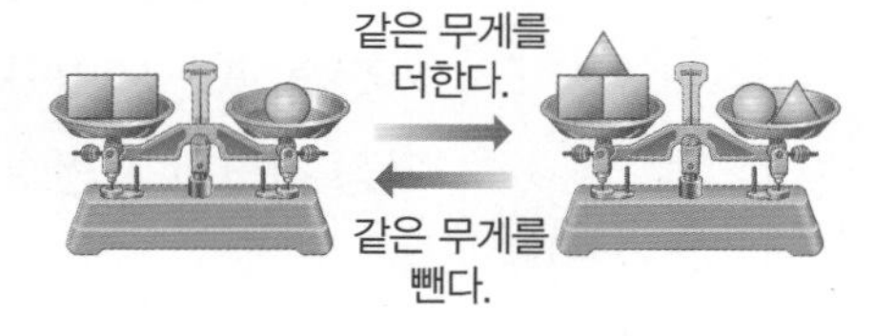

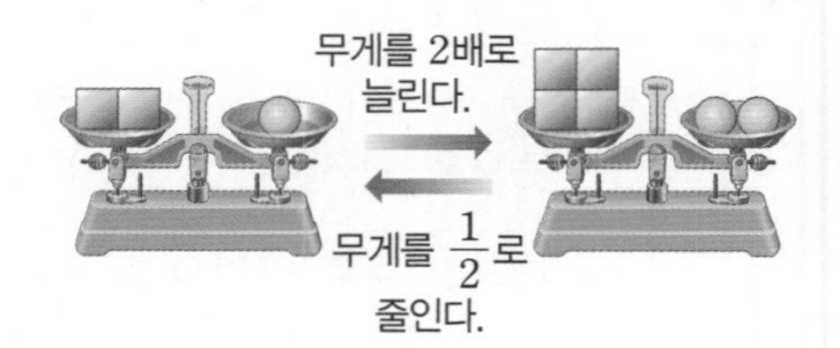

평형을 이루고 있는 저울의 양쪽 접시에 올려놓은 물건의 무게를 똑같이 2배로 늘리거나 반으로 줄여도 저울은 평형을 이룹니다.

5

원의 넓이

공부할 내용	공부한 날
17 원주와 원주율	월 일
18 원의 넓이	월 일

17 원주와 원주율

우리는 [수학 3-2] 원에서 원의 중심, 반지름, 지름을 알아보았습니다. 띠 종이와 누름 못을 이용하여 원을 그릴 때에 누름 못이 꽂혔던 점을 원의 중심이라 하고, 원의 중심과 원 위의 한 점을 이은 선분을 원의 반지름이라고 하며, 원 위의 두 점을 이은 선분이 원의 중심을 지날 때, 이 선분을 원의 지름이라고 하였습니다.

그렇다면 원의 둘레는 어떻게 구할까요?

원의 둘레를 **원주**라고 하며, 원의 크기와 관계없이 지름에 대한 원주의 비율은 일정합니다.

원의 지름에 대한 원주의 비를 **원주율**이라고 합니다.

(원주율)=(원주)÷(지름)

원주율을 이용하여 원주와 지름을 구할 수 있습니다.

(원주율)=(원주)÷(지름)이므로 원주는 지름에 원주율을 곱하고, 지름은 원주를 원주율로 나누어 다음과 같이 구합니다.

- 지름을 알 때 원주율을 이용하여 원주 구하기 (원주율: 3.14)
  지름이 2 cm인 원의 원주 ⇨ (원주)=(지름)×(원주율)=2×3.14=6.28(cm)
- 원주를 알 때 원주율을 이용하여 지름 구하기 (원주율: 3.14)
  원주가 62.8 cm인 원의 지름
  ⇨ (지름)=(원주)÷(원주율)=62.8÷3.14=20(cm)

지름이 커지면 원주도 커지고, 원주가 커지면 지름도 커집니다.

원주율을 소수로 나타내면 3.1415926535897932…… 와 같이 끝없이 이어집니다. 따라서 필요에 따라 3, 3.1, 3.14 등으로 어림하여 사용하기도 합니다.

$(원주율)=\frac{(원주)}{(지름)}$

⇨ (원주)=(지름)×(원주율)

⇨ $(지름)=\frac{(원주)}{(원주율)}$

여기서 정육각형과 정사각형의 둘레와 원의 지름을 비교해 봅시다. □ 안에 알맞은 수를 써넣으시오.

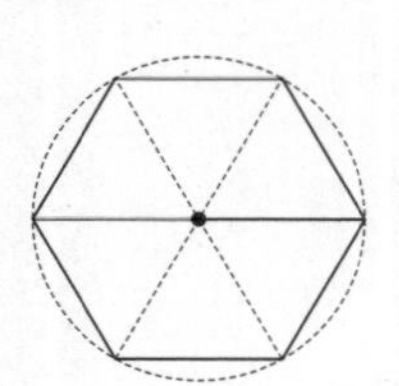

정육각형의 둘레는 원의 지름의 3배입니다.
(정육각형의 둘레)<(원주)

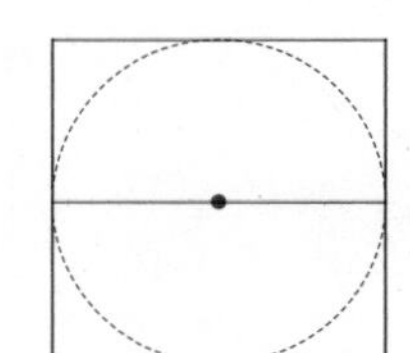

정사각형의 둘레는 원의 지름의 4배입니다.
(원주)<(정사각형의 둘레)

즉, 원주는 원의 지름의 □배보다 크고, 원의 지름의 □배보다 작습니다.

답 3, 4

(원주율)=(원주)÷(지름)

교과서 + 익힘책 유형

01 □ 안에 알맞은 말을 써넣으시오.

원의 둘레를 □라고 합니다.
또한, 원의 지름에 대한 원주의 비를 □이라고 합니다.

02 원에 반지름과 원주를 바르게 나타내시오.

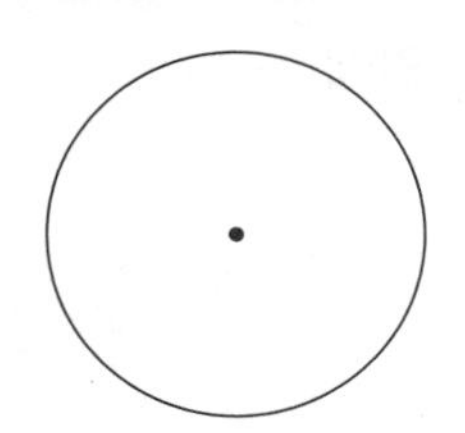

03 설명이 맞으면 ○표, 틀리면 ×표 하시오.

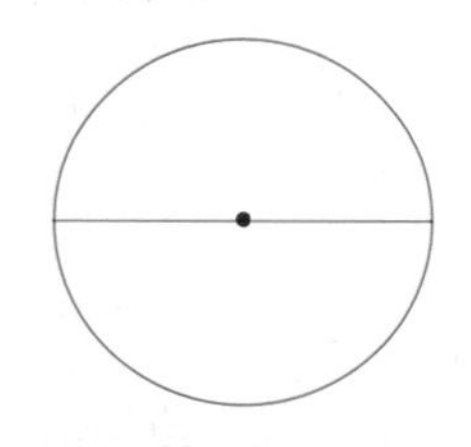

- 빨간색으로 나타낸 것은 원의 둘레입니다. (　　)
- 파란색으로 나타낸 것은 원의 지름입니다. (　　)
- 원주는 원의 중심을 지납니다. (　　)

[04-05] 원주율을 구하려고 합니다. 물음에 답하시오.

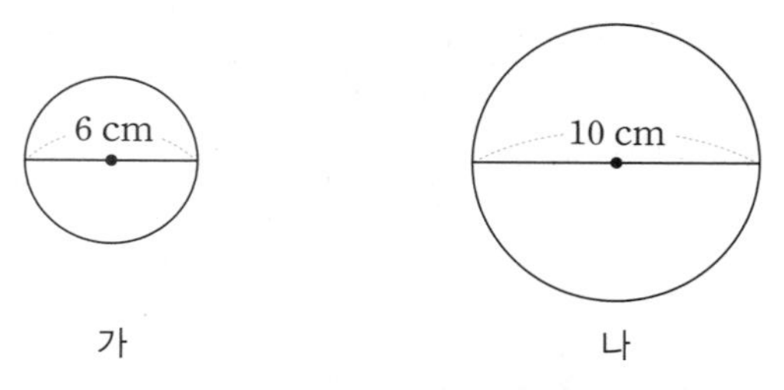

	가	나
원주	18.85 cm	31.416 cm

04 가의 (원주)÷(지름)을 반올림하여 주어진 자리까지 나타내시오.

소수 첫째 자리	소수 둘째 자리

05 나의 (원주)÷(지름)을 반올림하여 주어진 자리까지 나타내시오.

소수 첫째 자리	소수 둘째 자리

06 알맞은 말에 ○표 하시오.

원의 크기와 관계없이 지름에 대한 원주의 비율은 (일정합니다, 일정하지 않습니다).

교과서 + 익힘책 응용 유형

07 두 원의 원주의 합을 구하시오. (원주율: 3.14)

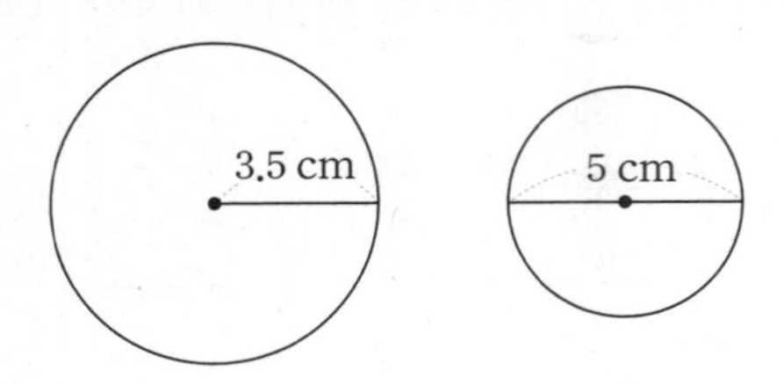

08 원의 지름이 작은 원부터 차례대로 기호를 쓰시오. (원주율: 3.14)

㉠	㉡	㉢
반지름이 9 cm인 원	원주가 37.68 cm 인 원	원주가 43.96 cm 인 원

09 원주에 대해 바르게 설명한 친구는 누구인지 쓰시오.

> 은지: 원주와 지름의 길이는 같아.
> 지은: 원주가 커지면 원의 지름도 커져.
> 아현: 원의 지름이 커져도 원주는 변하지 않아.

10 길이가 53.38 cm인 철사를 겹치지 않게 붙여서 원을 만들었습니다. 만들어진 원의 지름은 몇 cm인지 구하시오. (원주율: 3.14)

11 크기가 다른 두 원이 있습니다. 원주율을 비교하여 ○ 안에 >, =, <를 알맞게 써넣으시오.

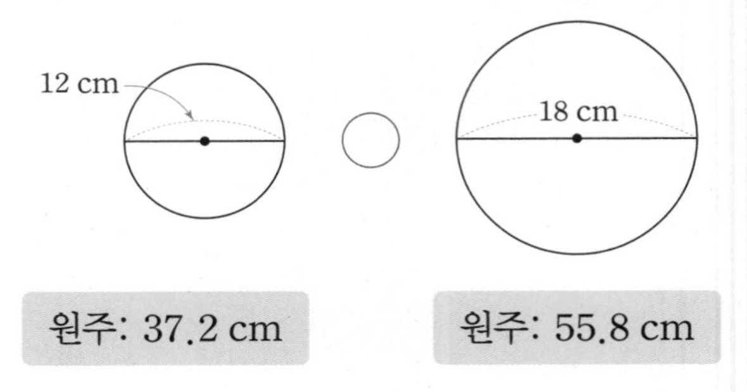

12 지름이 80 cm인 원 모양의 바퀴 자를 사용하여 집에서 버스 정류장까지의 거리를 알아보려고 합니다. 바퀴가 100바퀴 돌았다면 집에서 버스 정류장까지의 거리는 몇 m인지 구하시오. (원주율: 3.14)

잘 틀리는 **유형**

13 원주율에 대해 잘못 설명한 친구는 누구인지 쓰시오.

준하: 원의 크기와 관계없이 원주율은 일정해.
민섭: 원의 지름에 대한 원주의 비야.
원준: 원주율은 (지름)÷(원주)로 구해.

14 민주와 지민이는 자전거를 타고 있습니다. 민주의 자전거 바퀴는 지름이 25 cm이고 지민이의 자전거 바퀴는 둘레가 83.7 cm입니다. 누구의 자전거 바퀴의 둘레가 몇 cm 더 긴지 구하시오. (원주율: 3.14)

15 지윤이는 모자를 사러 갔습니다. 지윤이의 머리 둘레가 약 55 cm일 때 지윤이의 머리가 들어갈 수 있는 모자를 모두 찾아 기호를 쓰시오. (원주율: 3.1)

㉠	㉡	㉢
반지름이 8 cm인 모자	지름이 19 cm인 모자	원주가 57.3 cm인 모자

16 풍산마을과 지학마을에 각각 높이가 같은 기둥을 세웠습니다. 풍산마을의 기둥은 지름이 75 cm이고, 지학마을의 기둥의 둘레는 248 cm입니다. 어느 마을의 기둥이 더 두꺼운지 구하시오. (원주율: 3.1)

17 두 원의 원주가 다음과 같을 때 두 원의 지름의 합을 구하시오. (원주율: 3.1)

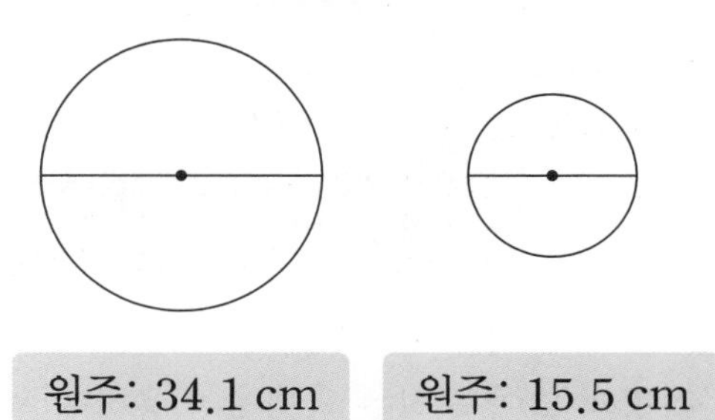

18 큰 원의 원주는 54 cm입니다. 두 원의 반지름의 합을 구하시오. (원주율: 3)

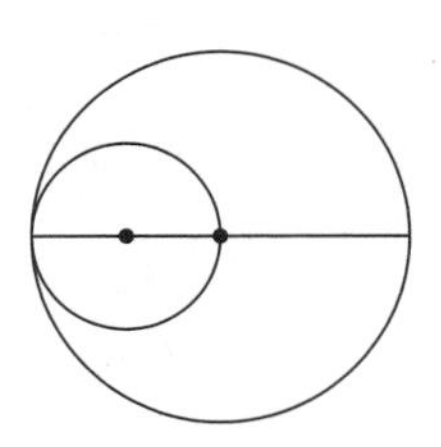

18 원의 넓이

우리는 앞 단원에서 원주율을 알아보았습니다.
원의 둘레를 원주라고 하며, 원의 지름에 대한 원주의 비를 원주율이라고 하였습니다. 원주율을 소수로 나타내면 3.1415926535897932……와 같이 끝없이 이어지므로 필요에 따라 3, 3.1, 3.14 등으로 어림하여 사용하기도 하였습니다.

(원주율)=(원주)÷(지름)

그렇다면 원의 넓이는 어떻게 구할까요?
원을 한없이 잘라 이어 붙여서 점점 직사각형에 가까워지는 도형을 이용하여 원의 넓이를 구할 수 있습니다.
그림과 같이 점점 직사각형에 가까워지는 도형의 가로는 원주의 $\frac{1}{2}$과 같고 세로는 원의 반지름과 같습니다.

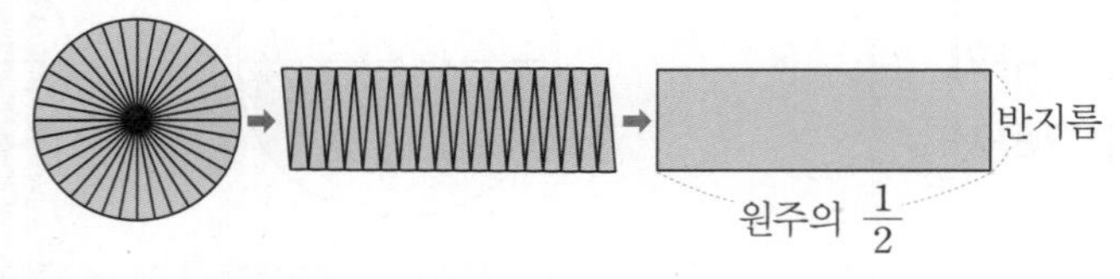

직사각형의 넓이 구하는 방법을 이용하여 원의 넓이를 구하면 다음과 같습니다.

(원의 넓이)=(직사각형의 넓이)
=(직사각형의 가로)×(직사각형의 세로)
$=\left(\text{원주의 } \frac{1}{2}\right)\times$(반지름)
=(원주율)×(지름)×$\frac{1}{2}$×(반지름)
=(원주율)×(반지름)×(반지름)

(지름)×$\frac{1}{2}$=(반지름)

여기서 원의 넓이를 어림해 봅시다. □ 안에 알맞은 수를 써넣으시오.

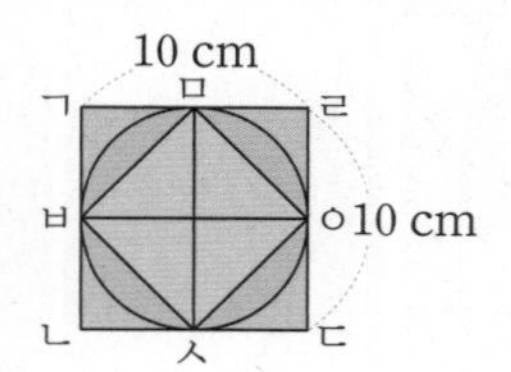

(마름모 ㅁㅂㅅㅇ의 넓이)=10×10÷2=50(cm^2)<(원의 넓이)
(정사각형 ㄱㄴㄷㄹ의 넓이)=10×10=100(cm^2)>(원의 넓이)
따라서 50 cm^2<(원의 넓이)<100 cm^2이므로 원의 넓이는 한 변의 길이가 5 cm인 정사각형의 약 □배입니다.

답 3

풍산자 비법

(원의 넓이)=(원주율)×(반지름)×(반지름)

교과서 + 익힘책 유형

[01-03] 반지름이 4 cm인 원의 넓이는 얼마인지 어림해 보려고 합니다. 물음에 답하시오.

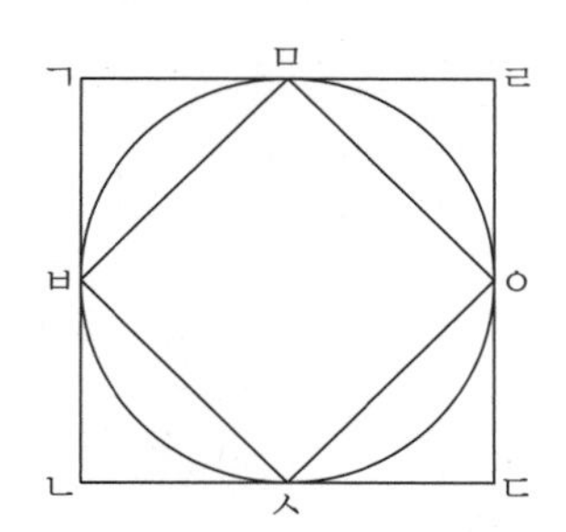

01 위 그림을 보고 ○ 안에 >, =, <를 알맞게 써넣으시오.

(1) (마름모 ㅁㅂㅅㅇ의 넓이) ○ (원의 넓이)

(2) (원의 넓이) ○ (정사각형 ㄱㄴㄷㄹ의 넓이)

02 □ 안에 알맞은 수를 써넣으시오.

(마름모 ㅁㅂㅅㅇ의 넓이)
$=\square\times\square\div2=\square(cm^2)$
(정사각형 ㄱㄴㄷㄹ의 넓이)
$=\square\times\square=\square(cm^2)$

03 원의 넓이를 어림하시오.

$\square\ cm^2<$(원의 넓이)$<\square\ cm^2$

04 모눈종이를 이용하여 지름이 8 cm인 원의 넓이를 어림하시오.

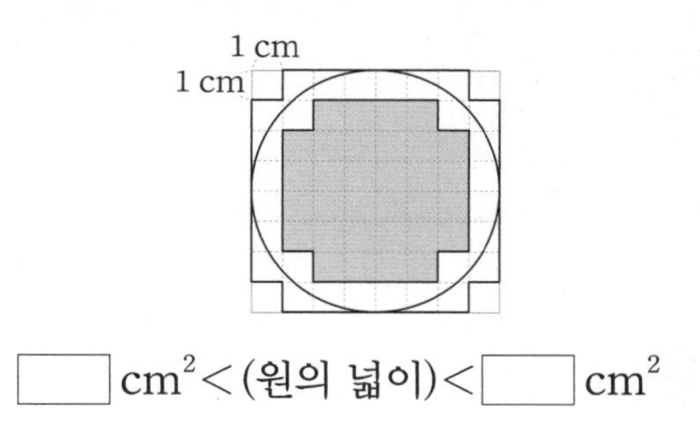

$\square\ cm^2<$(원의 넓이)$<\square\ cm^2$

05 원을 한없이 잘게 잘라 이어 붙여서 점점 직사각형에 가까워지는 도형으로 바꿔 보았습니다. 주어진 원의 넓이를 구하시오.

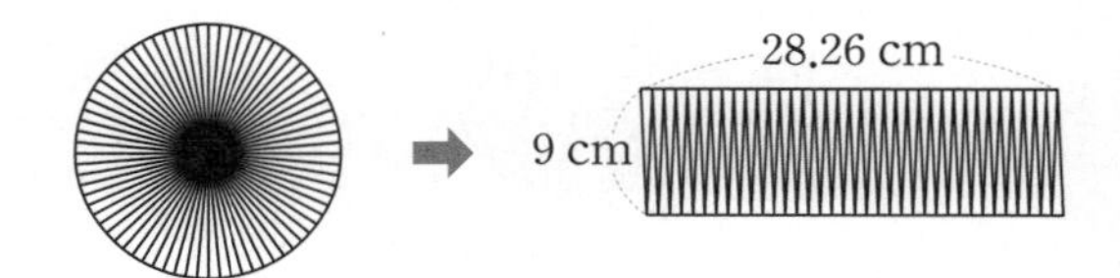

06 보기에서 □ 안에 알맞은 말을 골라 써넣으시오.

보기: 원주 반지름 지름 원주율

(원의 넓이)
$=(\square)\times\frac{1}{2}\times$(반지름)
$=(\square)\times(\square)\times\frac{1}{2}\times$(반지름)
$=(\square)\times$(반지름)$\times$(반지름)

교과서 + 익힘책 응용 유형

07 빈칸에 알맞은 수를 써넣으시오. (원주율: 3.14)

반지름 (cm)	원의 넓이 구하는 식	원의 넓이(cm^2)
8		
7		

08 가의 넓이와 나의 넓이의 합을 구하시오. (원주율: 3.14)

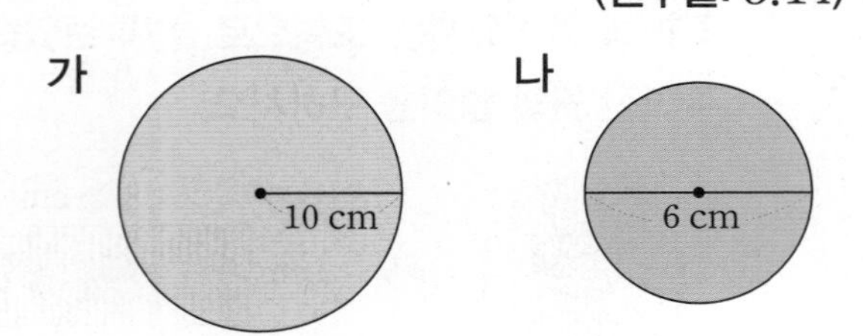

09 색칠한 부분의 넓이를 구하시오. (원주율: 3.14)

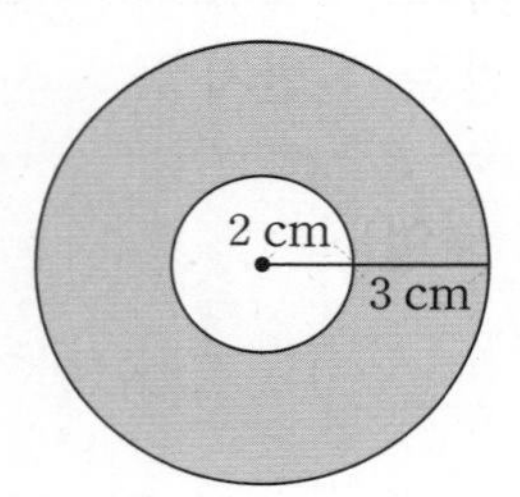

10 원주가 75.36 cm인 원이 있습니다. 이 원의 넓이를 구하시오. (원주율: 3.14)

11 넓이가 큰 원부터 차례대로 기호를 쓰시오. (원주율: 3.1)

㉠ 반지름이 12 cm인 원
㉡ 원주가 49.6 cm인 원
㉢ 지름이 28 cm인 원

12 반지름이 5 cm인 원이 있습니다. 이 원의 원주를 ㉠ cm, 원의 넓이를 ㉡ cm^2라고 할 때, ㉠+㉡을 구하시오. (원주율: 3.14)

잘 틀리는 유형

13 삼각형 ㄱㄴㄷ의 넓이가 $28\ \text{cm}^2$일 때, 원의 넓이를 어림하시오.

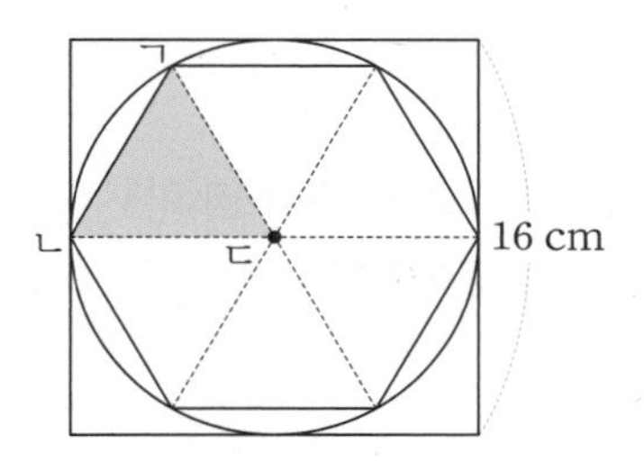

14 정사각형 모양 피자와 원 모양 피자의 넓이를 비교해보려고 합니다. 어느 모양 피자의 넓이가 몇 cm^2 더 큰지 구하시오. (원주율: 3.14)

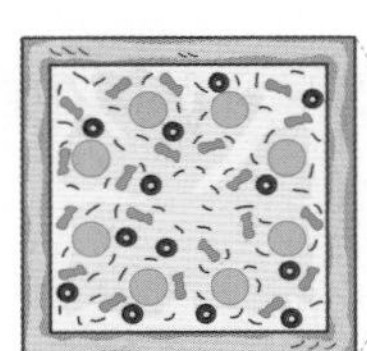

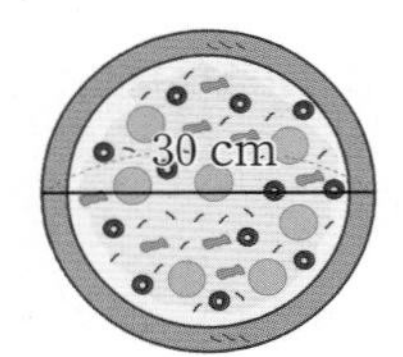

15 양궁 과녁은 가장 작은 원의 반지름이 2 cm이고 각 원의 반지름은 안에 있는 원의 반지름보다 2 cm씩 길어집니다. 양궁 과녁의 색깔이 차지하는 각각의 넓이를 구하시오. (원주율: 3.1)

16 가로가 28 cm, 세로가 33 cm인 직사각형 모양의 종이 위에 원을 그리려고 합니다. 이 종이 위에 그릴 수 있는 가장 큰 원의 넓이를 구하시오. (원주율: 3)

17 종이로 반지름이 10 cm인 원 모양 가면을 만들려고 합니다. 반지름이 2 cm인 원 모양 눈을 뚫어서 다음과 같은 모양을 만들었을 때 남은 부분의 넓이를 구하시오. (원주율: 3.14)

18 색칠한 부분의 넓이를 구하시오. (원주율: 3)

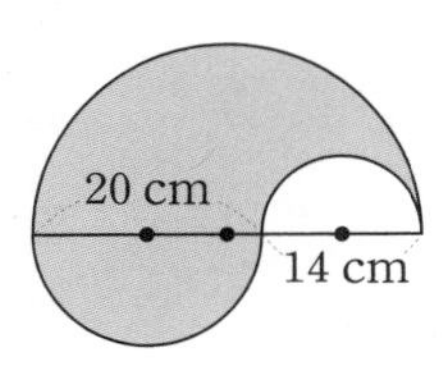

신비한 도형의 세계

지금까지 우리는 원의 넓이를 배웠습니다.

원과 다양한 다각형 속에 숨어있는 신비한 도형의 세계를 찾아볼까요?

신비한 도형의 세계를 알아볼까요?

둘레가 각각 1 m인 정사각형, 정삼각형, 원 안에 탁구공을 넣어 넓이를 비교하면 탁구공이 정사각형에는 36개, 정삼각형에는 28개, 원에는 47개 들어간다고 합니다.

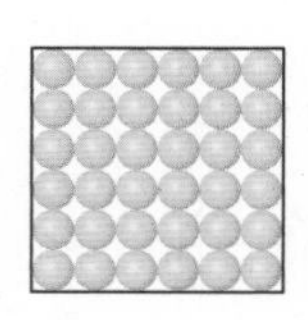
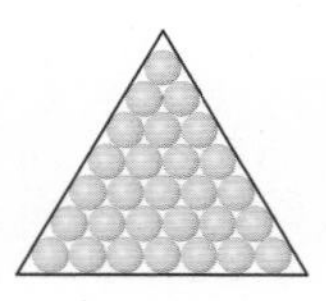
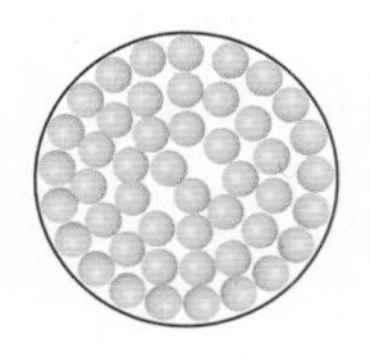

이처럼 둘레가 같은 평면도형 중에서 원의 넓이가 가장 넓습니다.
하지만 원을 여러 개 이어붙이면 그 사이에 빈틈이 생기는 것을 막을 수 없습니다. 원을 제외한 정다각형 중에서는 정삼각형, 정사각형, 정육각형만 평면을 모두 가릴 수 있습니다.

정칠각형부터는 한 각의 크기가 $\frac{900^\circ}{7}$로, 한 꼭짓점에 3개가 모이면 모두 360°가 넘어 평면을 만들 수 없습니다.

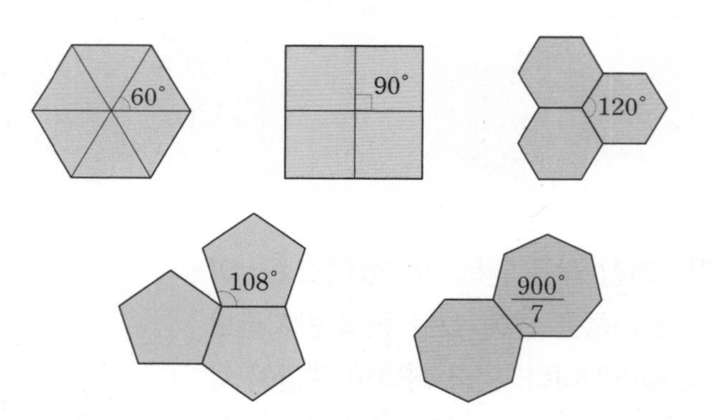

적은 재료로 빈틈없이 평면을 메우면서 튼튼하고, 원 만큼은 아니지만 꿀을 많이 저장할 수 있는 모양으로는 정육각형이 가장 적당하여 꿀벌은 육각형 모양으로 집을 만들게 되었다고 합니다.

다양한 도형의 신비한 이야기를 인터넷을 통해 각자 찾아 봅시다.

6

원기둥, 원뿔, 구

공부할 내용	공부한 날
19 원기둥	월 일
20 원뿔과 구	월 일

19 원기둥

우리는 **[수학 6-1]** 각기둥과 각뿔에서 각기둥을 알아보았습니다.
각기둥에서 서로 평행하고 합동인 두 면을 밑면, 두 밑면과 만나는 면을 옆면이라고 하였습니다. 각기둥에서 면과 면이 만나는 선분을 모서리, 모서리와 모서리가 만나는 점을 꼭짓점, 두 밑면 사이의 거리를 높이라고 하였습니다.

각기둥은 위와 아래에 있는 면이 서로 평행하고 합동인 다각형입니다.

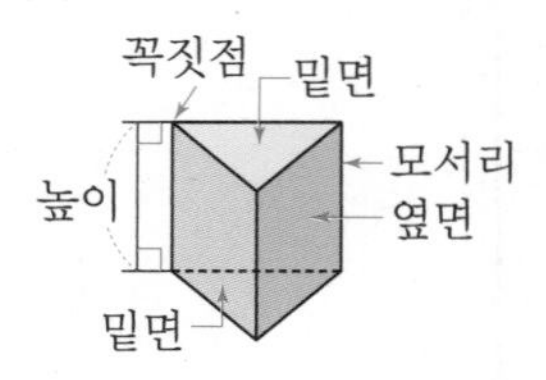

그렇다면 위와 아래에 있는 면이 서로 평행하고 합동인 원으로 이루어진 둥근기둥 모양의 입체도형을 무엇이라고 할까요?

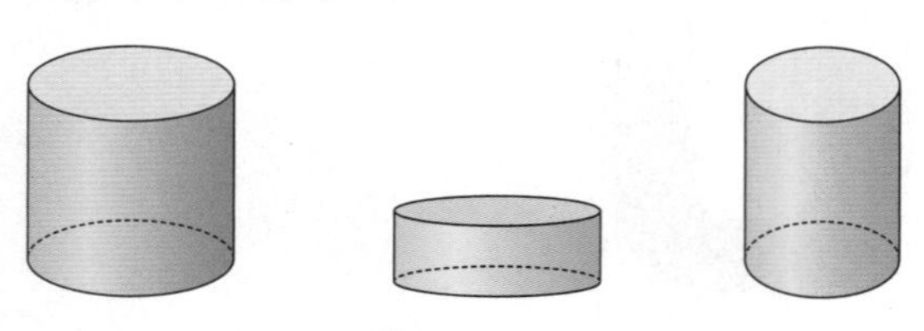

위와 같은 입체도형을 **원기둥**이라고 합니다.
원기둥에서 서로 평행하고 합동인 두 면을 **밑면**이라 하고, 두 밑면과 만나는 면을 **옆면**이라고 합니다. 이때 원기둥의 옆면은 굽은 면입니다.
또, 두 밑면에 수직인 선분의 길이를 **높이**라고 합니다.

밑면
옆면
높이
밑면

원기둥을 잘라서 펼쳐 놓은 그림을 원기둥의 **전개도**라고 합니다.
원기둥의 전개도에서 옆면의 가로와 세로의 길이는 각각 원기둥의 밑면의 둘레, 높이와 같습니다.

직사각형 모양의 종이를 한 변을 기준으로 돌리면 원기둥이 됩니다.

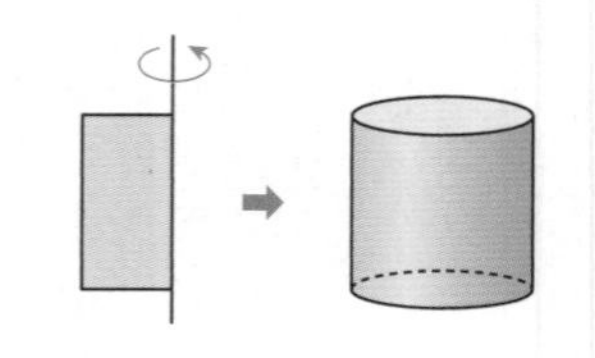

원기둥의 전개도에서 밑면의 모양은 원이고 옆면의 모양은 직사각형입니다.

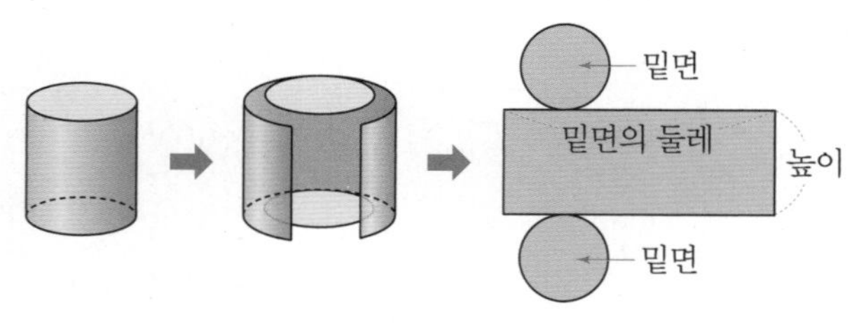

여기서 원기둥과 각기둥을 비교해 봅시다. 빈칸에 알맞은 말을 써넣으시오.

	공통점	차이점		
		밑면	옆면	꼭짓점
원기둥	기둥 모양의 입체도형이다. 두 밑면은 서로 평행하고, 합동이다.	원	굽은 면	
각기둥		다각형	직사각형	있다.

답 없다.

원기둥의 두 밑면은 서로 평행이고 합동이다.

교과서 + 익힘책 유형

01 원기둥을 찾아 기호를 쓰시오.

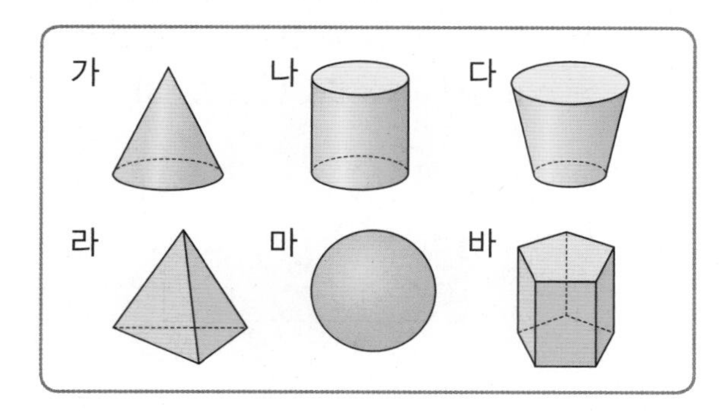

02 □ 안에 알맞은 말을 써넣으시오.

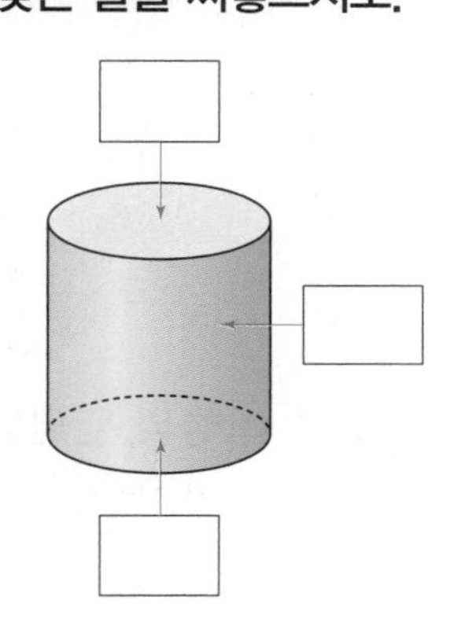

03 직사각형 모양의 종이를 한 변을 기준으로 돌려 만든 입체도형의 높이는 몇 cm인지 구하시오.

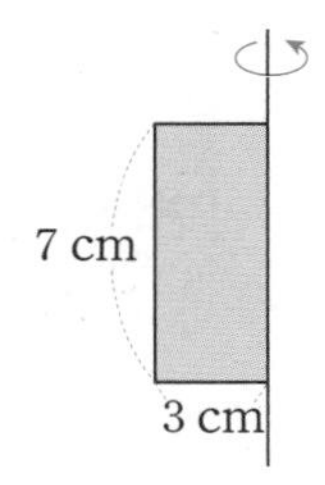

04 원기둥의 전개도를 찾아 기호를 쓰시오.

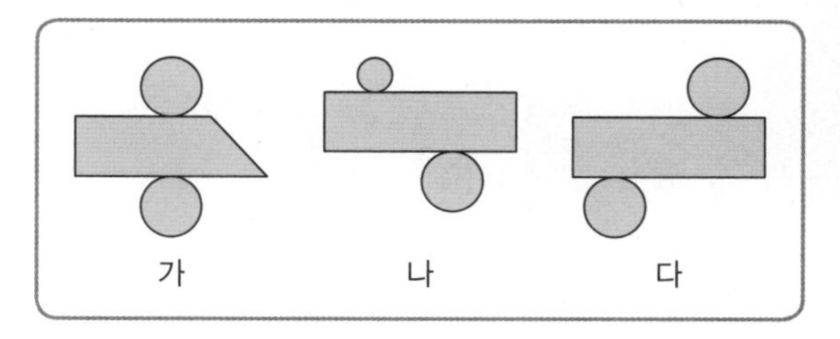

05 □ 안에 알맞은 말을 써넣으시오.

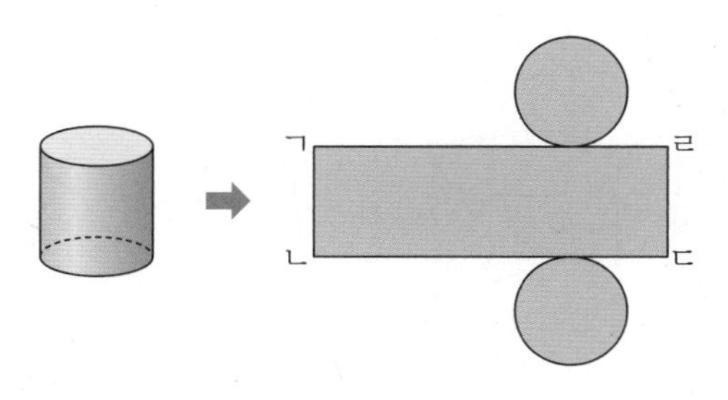

선분 ㄱㄹ은 밑면의 □와 길이가 같고 선분 ㄹㄷ은 원기둥의 □와 길이가 같습니다.

06 원기둥과 원기둥의 전개도를 보고 □ 안에 알맞은 수를 써넣으시오. (원주율: 3.1)

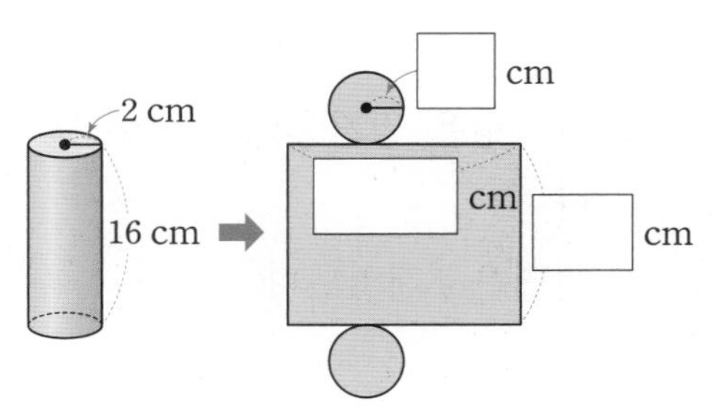

교과서 + 익힘책 응용 유형

07 원기둥의 전개도를 그리시오. (원주율: 3)

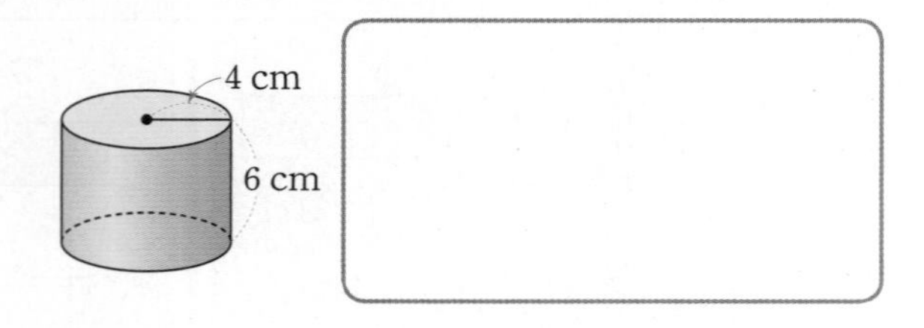

08 두 원기둥의 높이의 합을 구하시오.

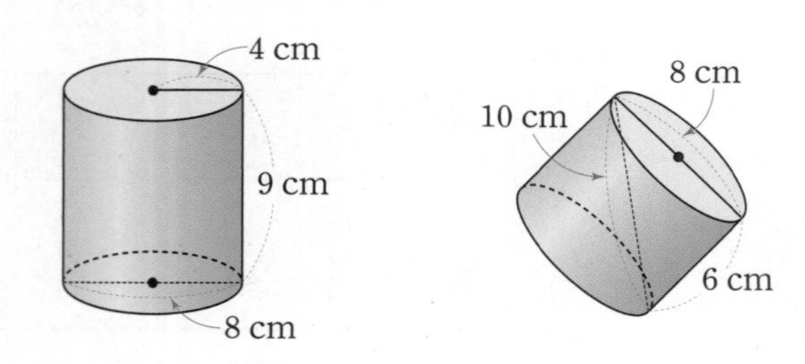

09 원기둥에 대한 설명으로 옳은 것은 어느 것입니까?

① 두 밑면은 서로 평행합니다.
② 옆면은 2개입니다.
③ 꼭짓점이 4개입니다.
④ 다각형은 원기둥의 밑면이 될 수 있습니다.
⑤ 밑면은 1개입니다.

10 원기둥의 전개도에서 옆면의 가로가 54 cm, 세로가 15 cm일 때 원기둥의 밑면의 반지름은 몇 cm인지 구하시오. (원주율: 3)

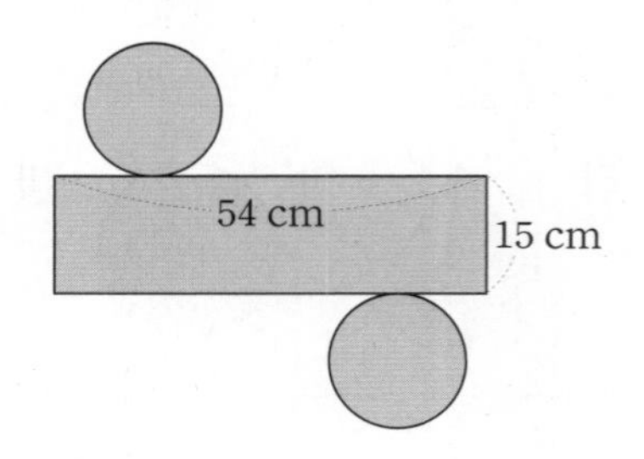

11 원기둥의 전개도에 대한 설명으로 옳지 않은 것은 어느 것입니까?

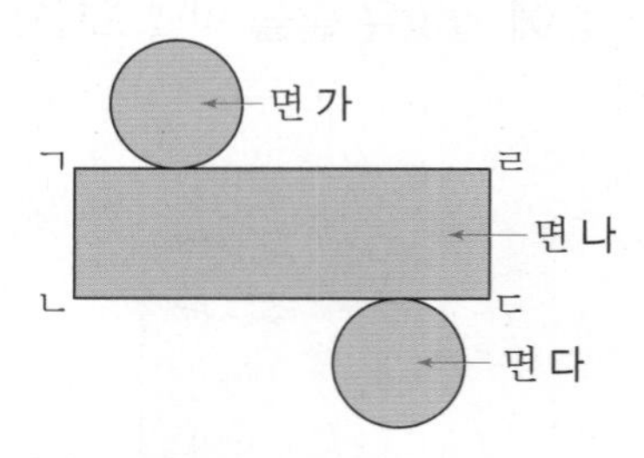

① 면 **나**는 원기둥의 옆면입니다.
② 면 **나**는 직사각형입니다.
③ 면 **가**와 면 **다**는 합동입니다.
④ 선분 ㄱㄴ은 원기둥의 밑면의 둘레입니다.
⑤ 면 **다**는 원기둥의 밑면입니다.

12 원기둥과 각기둥에 대해 잘못 설명한 것을 찾아 기호를 쓰시오.

㉠ 원기둥은 밑면의 모양이 원이고, 각기둥은 밑면의 모양이 다각형입니다.
㉡ 원기둥과 각기둥 모두 옆면이 굽은 면입니다.
㉢ 원기둥과 각기둥의 밑면의 개수는 같습니다.

잘 틀리는 유형

13 직사각형 모양의 종이를 한 변을 기준으로 돌려 만든 입체도형의 전개도를 그리시오. (원주율: 3)

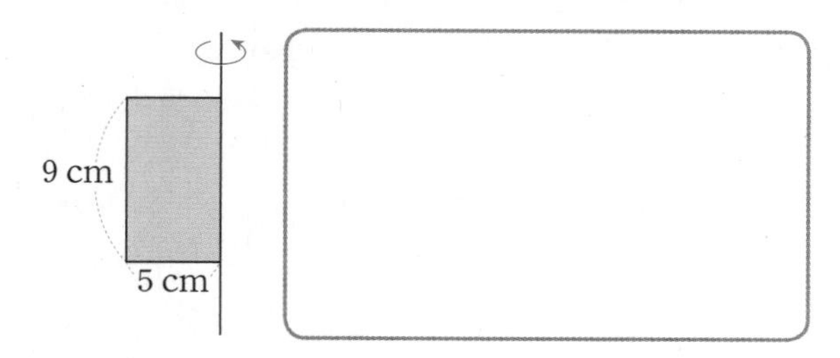

14 원기둥과 각기둥에 대해 잘못 설명한 친구는 누구인지 쓰시오.

> 진우: 원기둥과 각기둥은 위에서 본 모양이 같아.
> 혁찬: 원기둥과 각기둥은 모두 옆에서 본 모양이 직사각형이야.
> 철우: 원기둥은 꼭짓점이 없고, 각기둥은 꼭짓점이 있어.

15 주어진 원기둥을 펼쳐 전개도를 만들었을 때, 옆면의 가로와 세로의 합을 구하시오. (원주율: 3.14)

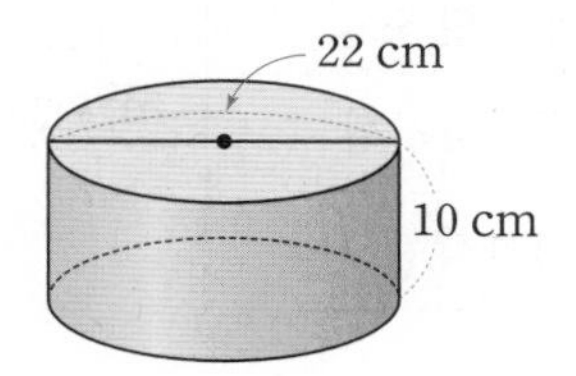

16 원기둥의 전개도에 대한 설명으로 옳지 않은 것은 어느 것입니까?

① 원기둥을 옆에서 보면 삼각형 모양입니다.
② 원기둥을 펼쳐 놓은 그림을 원기둥의 전개도라고 합니다.
③ 원기둥의 옆면의 세로는 원기둥의 높이와 같습니다.
④ 원기둥을 펼치면 밑면은 2개이고 그 모양은 원입니다.
⑤ 원기둥을 펼치면 옆면의 모양은 직사각형이 됩니다.

17 원기둥의 전개도에서 옆면의 넓이가 $126\ cm^2$일 때, 원기둥의 높이는 몇 cm인지 구하시오. (원주율: 3)

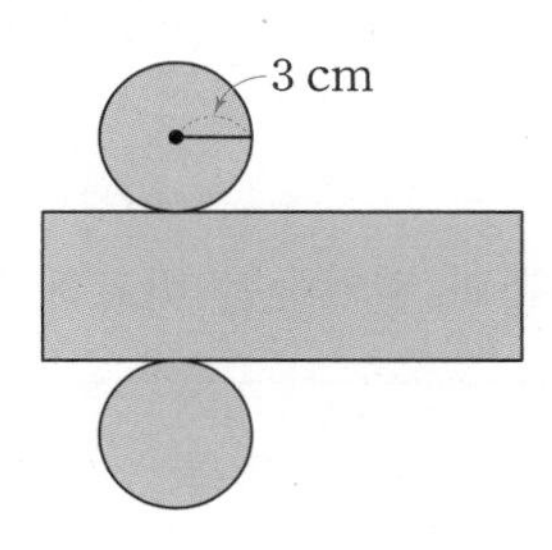

20 원뿔과 구

우리는 **[수학 6-1]** 각기둥과 각뿔에서 각뿔을 알아보았습니다.
각뿔에서 면 ㄴㄷㄹㅁ과 같은 면을 밑면, 밑면과 만나는 면을 옆면이라고 하였습니다. 각뿔에서 면과 면이 만나는 선분을 모서리, 모서리와 모서리가 만나는 점을 꼭짓점, 꼭짓점 중에서도 옆면이 모두 만나는 점을 각뿔의 꼭짓점, 각뿔의 꼭짓점에서 밑면에 수직인 선분의 길이를 높이라고 하였습니다.

각뿔은 밑에 놓인 면이 다각형이고 옆으로 둘러싼 면은 삼각형입니다.

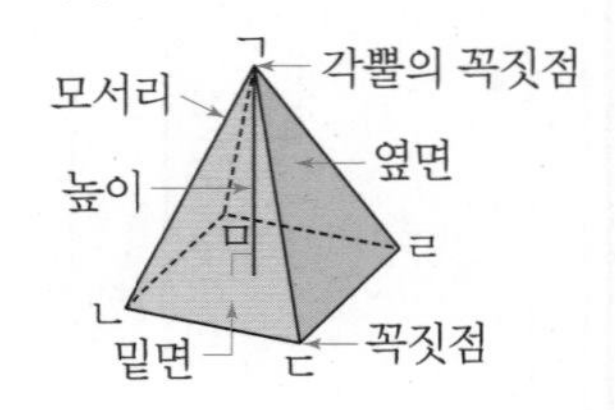

그렇다면 평평한 면이 1개이고 원이며 뾰족한 뿔 모양의 입체도형을 무엇이라고 할까요?

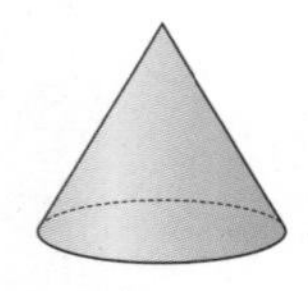 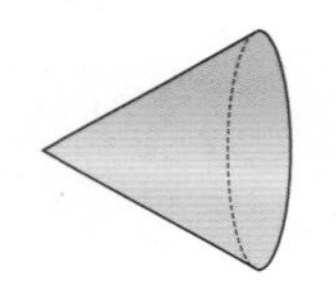 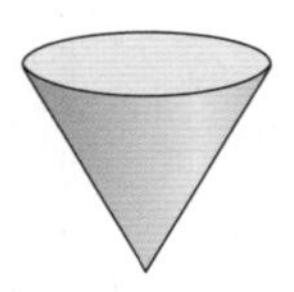

위와 같은 입체도형을 **원뿔**이라고 합니다.
원뿔에서 평평한 면을 **밑면**, 옆을 둘러싼 굽은 면을 **옆면**이라고 하며 원뿔에서 뾰족한 부분의 점을 **원뿔의 꼭짓점**이라고 합니다. 원뿔에서 꼭짓점과 밑면인 원의 둘레의 한 점을 이은 선분을 **모선**이라고 하고, 꼭짓점에서 밑면에 수직인 선분의 길이를 **높이**라고 합니다.

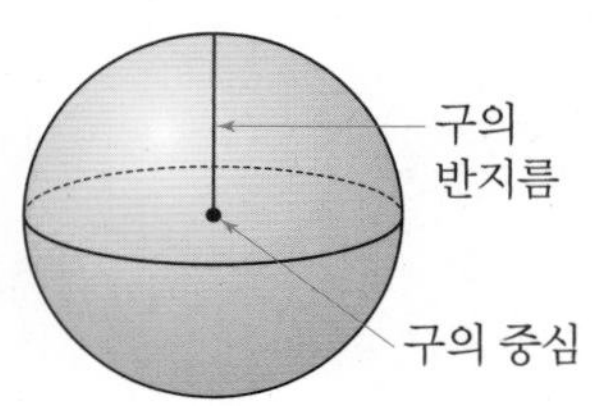

직각삼각형 모양의 종이를 한 변을 기준으로 돌리면 원뿔이 됩니다.

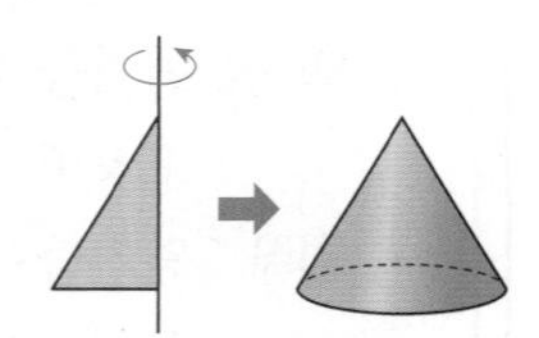

오른쪽 그림과 같은 공 모양의 입체도형을 **구**라고 합니다.
구에서 가장 안쪽에 있는 점을 **구의 중심**이라 하고, 구의 중심에서 구의 겉면의 한 점을 이은 선분을 **구의 반지름**이라고 합니다.

구의
반지름
구의 중심

반원 모양의 종이를 지름을 기준으로 돌리면 구가 됩니다.

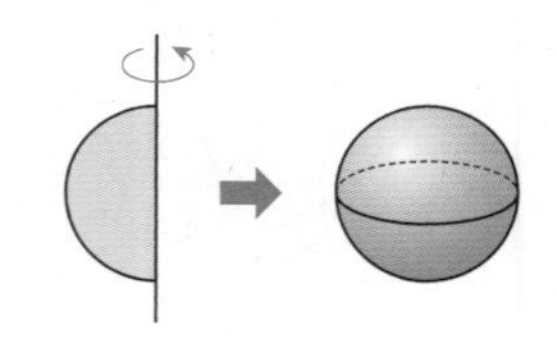

여기서 원뿔과 원기둥을 비교해 봅시다. 빈칸에 알맞은 말을 써넣으시오.

	공통점	차이점		
		밑면의 수	꼭짓점	앞에서 본 모양
원뿔	밑면의 모양은 원이다. 옆면은 굽은 면이다. 위에서 본 모양은 원이다.		1개 있다.	이등변삼각형
원기둥		2개	없다.	직사각형

구는 어느 방향에서 보아도 모양이 원입니다.

답 1개

풍산자 비법 

❶ 원뿔 ⇨ 밑면은 1개이고 옆면은 굽은 면이다.
❷ 구 ⇨ 밑면과 옆면이 없고 굽은 면으로 둘러싸여 있다.

교과서 + 익힘책 유형

01 원뿔을 모두 찾아 기호를 쓰시오.

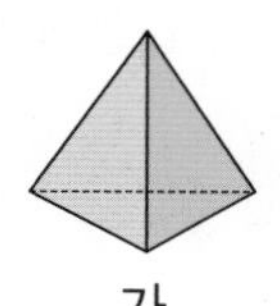 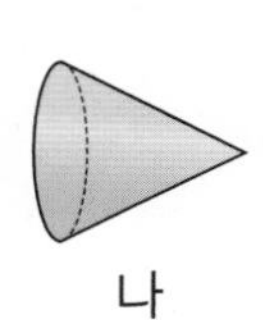 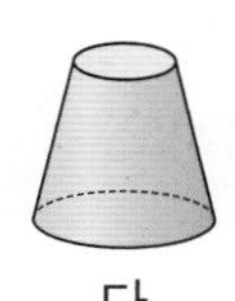 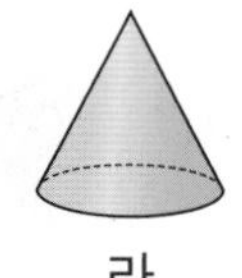

가 나 다 라

02 □ 안에 알맞은 말을 써넣으시오.

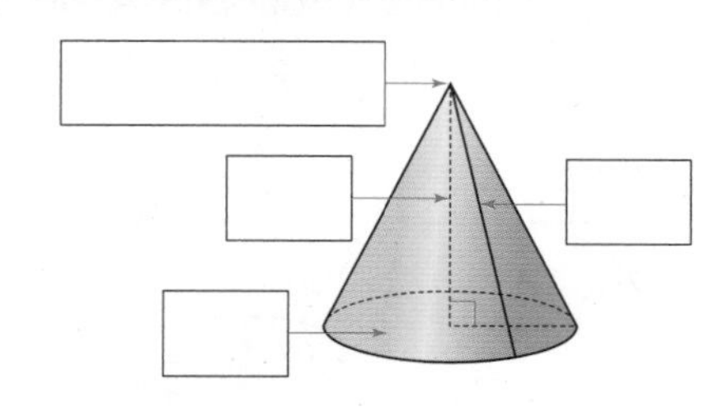

03 원뿔에서 무엇을 재는 방법인지 쓰시오.

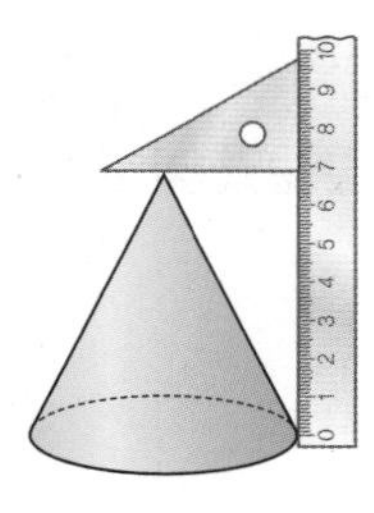

04 구를 찾아 기호를 쓰시오.

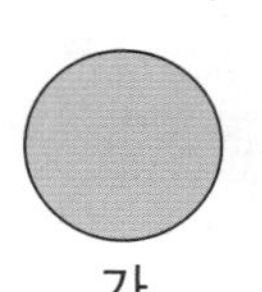 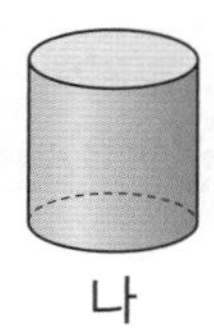 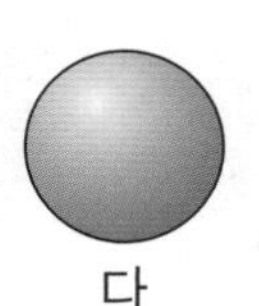 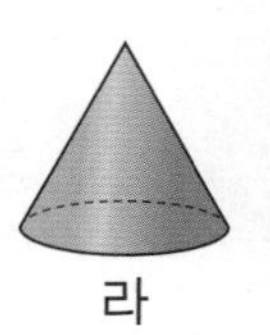

가 나 다 라

05 구의 반지름은 몇 cm인지 구하시오.

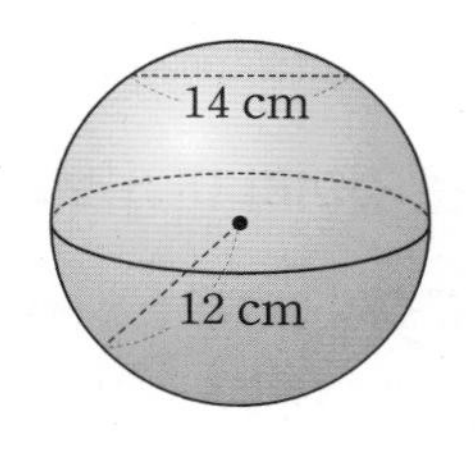

06 설명이 맞으면 ○표, 틀리면 ×표 하시오.

- 구, 원기둥, 원뿔 모두 위에서 보면 원 모양입니다. (　　)
- 구와 달리 원기둥을 앞에서 본 모양은 사각형입니다. (　　)
- 구와 마찬가지로 원뿔을 앞에서 보면 삼각형입니다. (　　)

교과서 + 익힘책 응용 유형

07 빈칸에 알맞은 것을 써넣으시오.

도형	밑면의 모양	밑면의 수	위에서 본 모양	앞에서 본 모양
(각뿔)				
(원뿔)				

08 관계있는 것끼리 이어 보시오.

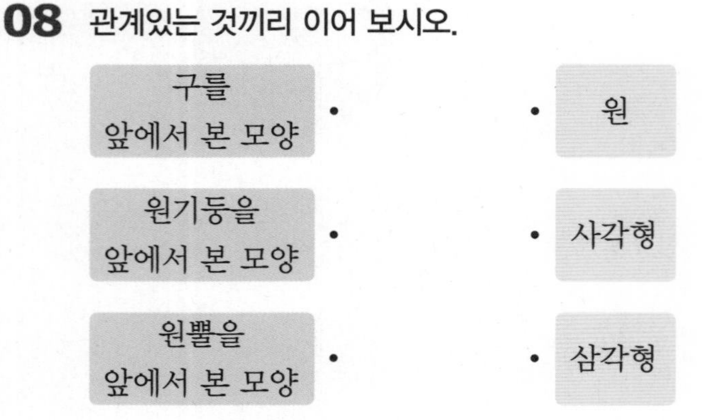

09 원뿔과 각뿔의 같은 점에 대해 바르게 설명한 친구는 누구인지 모두 찾아 쓰시오.

> 슬기: 밑면의 수가 같아.
> 준하: 두 도형은 모두 굽은 면이 있어.
> 동현: 옆에서 본 모양이 같아.

10 직각삼각형 모양의 종이를 한 변을 기준으로 돌려 만든 입체도형을 보고 밑면의 지름과 높이를 구하시오.

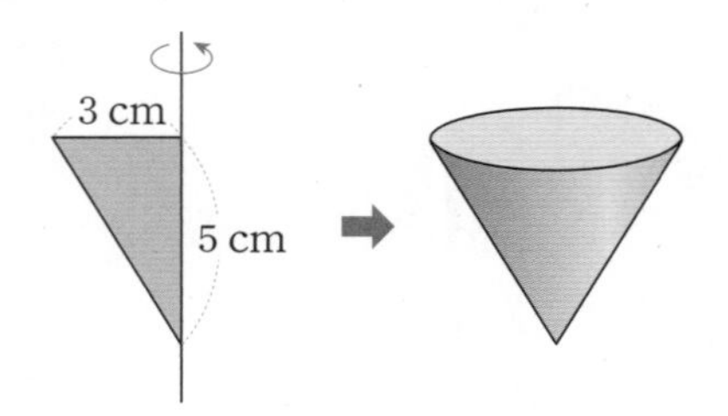

11 원기둥의 개수를 ㉠개, 원뿔의 개수를 ㉡개, 구의 개수를 ㉢개라고 할 때, ㉠+㉡−㉢을 구하시오.

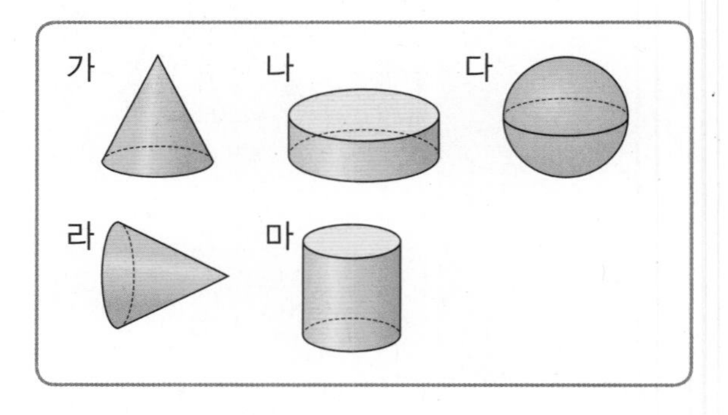

12 반원 모양의 종이를 지름을 기준으로 하여 돌려서 구를 만들었습니다. □ 안에 알맞은 수를 써넣으시오.

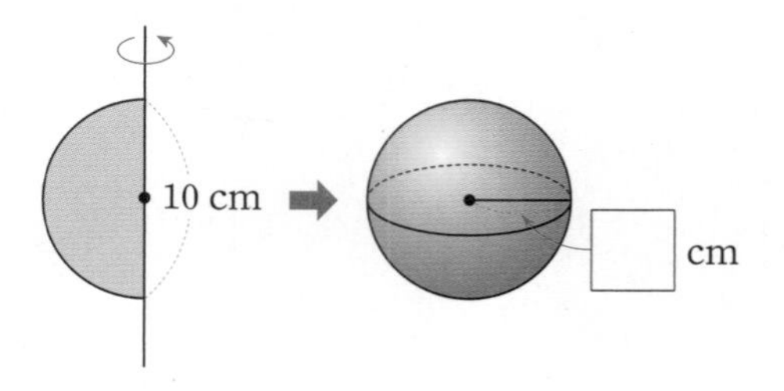

잘 틀리는 유형

13 원기둥과 원뿔 중 어느 도형의 높이가 몇 cm 더 높은지 구하시오.

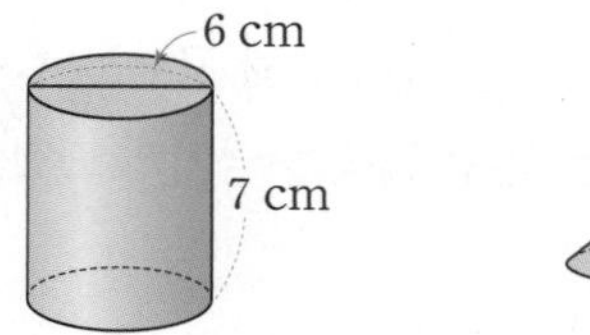

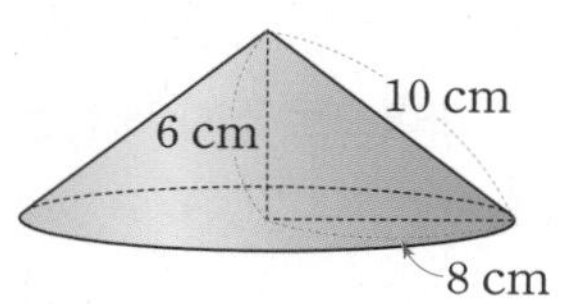

14 원기둥, 원뿔, 구에 대해 잘못 말한 친구는 누구인지 쓰시오.

> 지혜: 구와 원기둥, 원뿔은 모두 옆에서 보면 원모양이야.
> 예빈: 원기둥, 원뿔에는 밑면이 있고, 구에는 밑면이 없어.

15 직각삼각형 모양의 종이를 그림과 같이 돌려 원뿔을 만들었을 때, 원뿔의 모선의 길이는 몇 cm인지 구하시오.

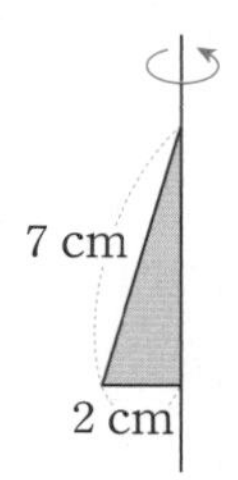

16 원뿔에서 밑면의 지름을 ㉠ cm, 높이를 ㉡ cm, 모선의 길이를 ㉢ cm이라고 할 때, ㉠+㉡−㉢을 구하시오.

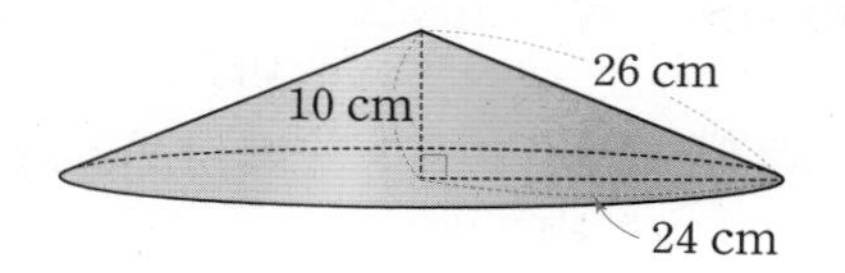

17 수가 큰 것부터 차례대로 기호를 쓰시오.

㉠	㉡	㉢
원뿔에서 모선의 수	원기둥에서 밑면의 수	원뿔에서 밑면의 수

18 원기둥, 원뿔, 구에 대한 설명으로 옳지 않은 것은 어느 것입니까?

① 구, 원기둥, 원뿔 모두 위에서 보면 원 모양입니다.
② 구를 앞에서 본 모양은 원이지만 원기둥을 앞에서 본 모양은 사각형입니다.
③ 원뿔은 뾰족한 부분이 있지만 원기둥은 뾰족한 부분이 없습니다.
④ 구와 원뿔은 굽은 면으로 둘러싸여 있습니다.
⑤ 구와 원뿔은 앞에서 보면 삼각형 모양입니다.

아르키메데스의 묘비

아르키메데스의 묘비를 알아볼까요?

지금까지 우리는 원기둥, 원뿔, 구를 배웠습니다.

아르키메데스는 기원전 고대 그리스의 시칠리아 섬에 있는 시라쿠사라는 도시에서 태어났습니다. 아버지가 천문학자였기 때문에 어렸을 때부터 별을 보거나 천문학에 대해 공부하는 것을 좋아했고, 그의 관심은 자연스럽게 수학과 과학으로 전해져 많은 연구 업적을 남기게 되었습니다. 특히 기하학에 관심이 많았다고 합니다.
그는 지레와 도르래에 대한 연구도 했는데요, 그 당시에 지레와 도르래는 이미 많이 사용하고 있었지만 이것을 수학적 원리를 활용하여 체계적으로 발표한 사람은 그가 최초였습니다.
그는 지레의 원리를 발견한 뒤 '내가 서 있을 자리만 준다면 지구를 들어 올리겠다.' 라면서 그의 연구 결과를 사람들에게 알렸고, 욕조에서 뛰쳐나오며 '유레카'를 외쳤다는 일화처럼 부력에 관한 연구도 해서 물에 뜨는 물체인 '부체'에 대해 많은 사실들을 밝혀냈습니다.

하지만 아르키메데스는 자신이 연구한 것 중에서 원, 구, 원기둥의 겉넓이와 부피에 대한 연구를 가장 자랑스럽게 여겼고, 그래서 이 내용을 그의 묘비에까지 새겨달라고 부탁했습니다. 지름과 높이가 같은 원기둥과 이에 내접하는 구의 부피의 비가 $3:2$임을 알아낸 기쁨 때문이었다고 합니다. 또한 지름과 높이가 같은 원기둥, 구, 원뿔의 부피를 비교하면 $3:2:1$이 되는데 일설에는 아르키메데스의 묘비에는 이 세 가지 입체도형을 하나로 묶은 그림이 새겨져 있다고도 전해집니다.

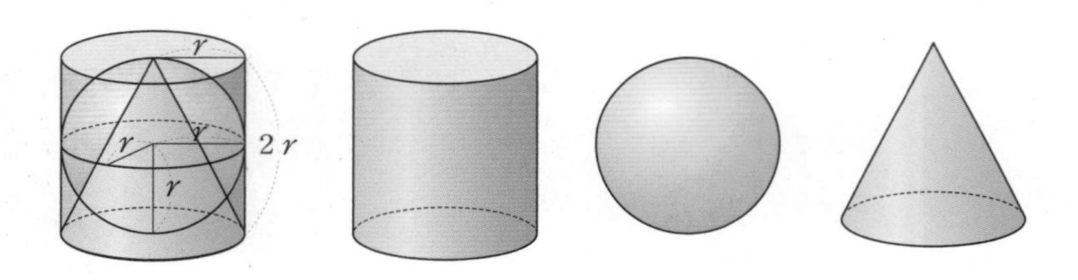

4년마다 열리는 세계 수학자 대회는 현저하게 우수한 수학자에게 필즈 메달을 수여하는데 이 메달에는 고대 그리스의 가장 뛰어난 수학자 중 한 사람인 아르키메데스의 초상이 새겨져 있습니다.

풍산자 라인업

초등 풍산자로 개념을 적용하고 응용하여 연산, 유형, 서술형을 풀면 실력이 탄탄해집니다

처음 배우는 수학을 쉽게 접근하는 초등 풍산자 로드맵

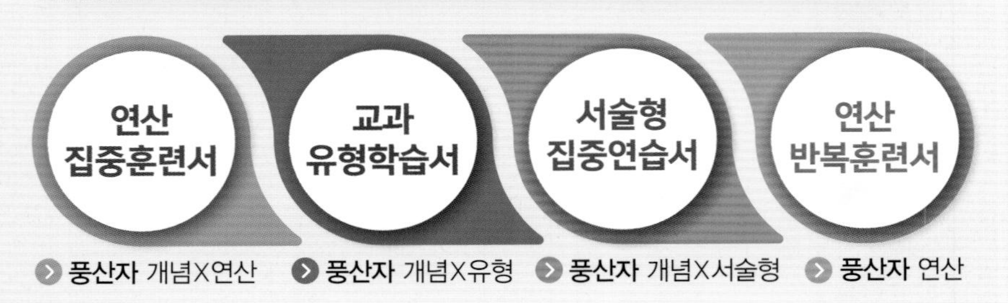

초등 풍산자 교재	하	중하	중	상
연산 집중훈련서 **풍산자 개념X연산**	개념 적용 연산 학습, 기초 실력 완성 (하~중)			
교과 유형학습서 **풍산자 개념X유형**		개념 응용 유형 학습, 기본 실력 완성 (중하~상)		
서술형 집중연습서 **풍산자 개념X서술형**		개념 활용 서술형 연습, 문제 해결력 완성 (중하~중)		
출시 예정 연산 반복훈련서 **풍산자 연산**	연산만 집중적으로 반복 학습 (하~중하)			

풍산자

개념 × 유형

정답과 풀이

초등 수학

6-2

지학사

초등 **수학** 6-2

1 ::: 분수의 나눗셈

01 분모가 같은 (분수)÷(분수)

p. 07~09

> 교과서 + 익힘책 유형

01 6, 6, 6 **02** 8, 4, 2

03 (1) 3 (2) 2 (3) $\frac{8}{5}$ (4) $\frac{10}{7}$

04 $\frac{7}{5}$, 2 **05** 풀이 참조 **06** =

> 교과서 + 익힘책 응용 유형

07 ④ **08** $\frac{2}{3}$ **09** 2

10 ㉠, ㉢, ㉡ **11** $\frac{11}{2}$ **12** ㉢

13 8도막 **14** 4명

> 잘 틀리는 유형

15 10 **16** 5배 **17** 2개

18 1, 2, 4, 8 **19** $\frac{11}{12}\div\frac{7}{12}$ **20** 8개

01 답 6, 6, 6

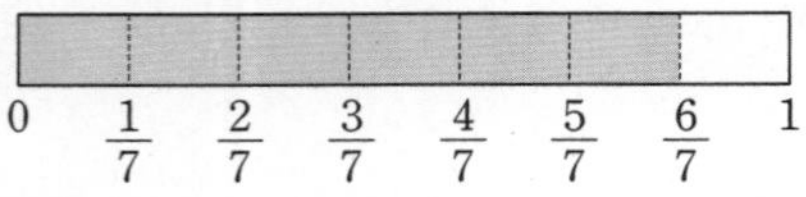

$\frac{6}{7}$에서 $\frac{1}{7}$을 [6]번 덜어 낼 수 있습니다.

$\frac{6}{7}\div\frac{1}{7}=\boxed{6}\div1=\boxed{6}$

02 답 8, 4, 2

$\frac{8}{11}$은 $\frac{1}{11}$이 [8]개이고

$\frac{4}{11}$는 $\frac{1}{11}$이 [4]개이므로

$\frac{8}{11}\div\frac{4}{11}=8\div4=\boxed{2}$입니다.

03 답 (1) 3 (2) 2 (3) $\frac{8}{5}$ (4) $\frac{10}{7}$

(1) $\frac{3}{5}\div\frac{1}{5}=3\div1=3$

(2) $\frac{4}{7}\div\frac{2}{7}=4\div2=2$

(3) $\frac{8}{9}\div\frac{5}{9}=8\div5=\frac{8}{5}$

(4) $\frac{10}{13}\div\frac{7}{13}=10\div7=\frac{10}{7}$

04 답 $\frac{7}{5}$, 2

$\frac{7}{12}\div\frac{5}{12}=7\div5=\frac{7}{5}$

$\frac{14}{15}\div\frac{7}{15}=14\div7=2$

05 답

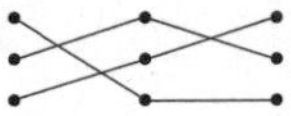

$\frac{26}{27}\div\frac{2}{27}=26\div2=13$

$\frac{8}{21}\div\frac{4}{21}=8\div4=2$

$\frac{28}{31}\div\frac{7}{31}=28\div7=4$

06 답 =

$\frac{6}{11}\div\frac{3}{11}=6\div3=2$

$\frac{4}{9}\div\frac{2}{9}=4\div2=2$

따라서 ○ 안에 알맞은 것은 =입니다.

07 답 ④

① $\frac{7}{10}\div\frac{1}{10}=7\div1=7$

② $\frac{12}{17}\div\frac{2}{17}=12\div2=6$

③ $\frac{15}{17}\div\frac{3}{17}=15\div3=5$

④ $\frac{16}{21}\div\frac{4}{21}=16\div4=4$

⑤ $\frac{14}{15}\div\frac{2}{15}=14\div2=7$

따라서 계산 결과가 가장 작은 것은 ④입니다.

08 답 $\frac{2}{3}$

$\frac{6}{13}\div\frac{3}{13}=6\div3=2$

$\frac{16}{19}\div\frac{12}{19}=16\div12=\frac{16}{12}=\frac{4}{3}$

따라서 두 나눗셈의 몫의 차는 $2-\frac{4}{3}=\frac{2}{3}$입니다.

09 답 2

눈금 한 칸의 크기는 $\frac{1}{9}$입니다.

㉠은 0에서 4칸 이동한 곳이므로 $\frac{4}{9}$이고,

㉡은 0에서 8칸 이동한 곳이므로 $\frac{8}{9}$입니다.

따라서 ㉡÷㉠$=\frac{8}{9}\div\frac{4}{9}=8\div4=2$입니다.

10 답 ㉠, ㉢, ㉡

㉠ $\frac{12}{13}\div\frac{1}{13}=12\div1=12$

㉡ $\frac{4}{5}\div\frac{2}{5}=4\div2=2$

㉢ $\frac{9}{14}\div\frac{3}{14}=9\div3=3$

따라서 계산 결과가 큰 것부터 차례대로 기호를 쓰면 ㉠, ㉢, ㉡입니다.

11 답 $\frac{11}{2}$

$\frac{22}{27}>\frac{14}{27}>\frac{8}{27}>\frac{4}{27}$이므로

가장 큰 수는 $\frac{22}{27}$, 가장 작은 수는 $\frac{4}{27}$입니다.

따라서 가장 큰 수를 가장 작은 수로 나눈 몫은

$\frac{22}{27}\div\frac{4}{27}=22\div4=\frac{22}{4}=\frac{11}{2}$입니다.

12 답 ㉢

㉠ $\frac{5}{7}\div\frac{1}{7}=5\div1=5$

㉡ $\frac{25}{27}\div\frac{5}{27}=25\div5=5$

㉢ $\frac{15}{16}\div\frac{5}{16}=15\div5=3$

따라서 계산 결과가 다른 것은 ㉢입니다.

13 답 8도막

(도막 수)=(리본 전체의 길이)÷(한 도막의 길이)

$=\frac{32}{35}\div\frac{4}{35}=32\div4=8$

따라서 리본은 8도막이 됩니다.

14 답 4명

(우유를 마실 수 있는 사람 수)$=\frac{8}{13}\div\frac{2}{13}=8\div2$

$=4$(명)

따라서 4명이 우유를 마실 수 있습니다.

15 답 10

$\frac{20}{21}>\frac{10}{21}>\frac{8}{21}>\frac{4}{21}>\frac{2}{21}$이므로

가장 큰 수는 $\frac{20}{21}$, 가장 작은 수는 $\frac{2}{21}$입니다.

따라서 가장 큰 수를 가장 작은 수로 나눈 몫은

$\frac{20}{21}\div\frac{2}{21}=20\div2=10$입니다.

16 답 5배

$\frac{15}{19}\div\frac{3}{19}=15\div3=5$

따라서 오렌지의 무게는 귤의 무게의 5배입니다.

17 답 2개

$\frac{8}{11}\div\frac{3}{11}=8\div3=\frac{8}{3}=2\frac{2}{3}$

$\frac{4}{7}\div\frac{2}{7}=4\div2=2$

$\frac{9}{19}\div\frac{3}{19}=9\div3=3$

따라서 계산 결과가 2보다 큰 것은 모두 2개입니다.

18 답 1, 2, 4, 8

$\frac{8}{23}\div\frac{\square}{23}=8\div\square$가 자연수이므로 □는 8의 약수입니다.

따라서 □ 안에 들어갈 수 있는 자연수는 1, 2, 4, 8입니다.

19 답 $\frac{11}{12}\div\frac{7}{12}$

$11\div7$을 이용하여 계산할 수 있고, 두 분수의 분모가 같은 나눗셈식은 $\frac{11}{\square}\div\frac{7}{\square}$로 나타낼 수 있습니다.

이때 분모가 13보다 작은 진분수의 나눗셈이므로 $11<\square<13$, $\square=12$입니다.

따라서 조건을 만족하는 분수의 나눗셈식은 $\frac{11}{12}\div\frac{7}{12}$입니다.

20 답 8개

$\frac{24}{26}\div\frac{3}{26}=24\div3=8$

따라서 팬케이크를 8개까지 만들 수 있습니다.

02 분모가 다른 (분수)÷(분수)

p. 11~13

> 교과서 + 익힘책 유형

01 6 02 풀이 참조

03 (1) 9 (2) $\frac{25}{7}$ (3) $\frac{6}{5}$ (4) $\frac{3}{2}$

04 풀이 참조 05 풀이 참조 06 $<$

> 교과서 + 익힘책 응용 유형

07 ㉢ 08 ㉠ 09 ㉡

10 $\frac{14}{13}$ 11 $\frac{9}{2}$ cm 12 $\frac{9}{4}$

13 $\frac{8}{25}$

> 잘 틀리는 유형

14 6 cm 15 ㉠, $\frac{18}{7}$ 16 1, 2, 3

17 $\frac{27}{14}$배 18 $\frac{21}{10}$ m 19 $\frac{56}{27}$

01 답 6

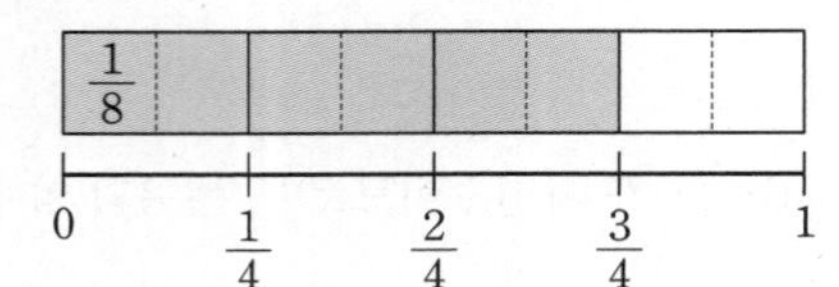

$\frac{3}{4}$은 $\frac{1}{8}$이 6개인 수입니다.

따라서 $\frac{3}{4}\div\frac{1}{8}=\boxed{6}$입니다.

02 답 풀이 참조

$\frac{3}{8}\div\frac{7}{12}=\frac{9}{24}\div\frac{14}{24}=9\div14=\frac{9}{14}$

03 답 (1) 9 (2) $\frac{25}{7}$ (3) $\frac{6}{5}$ (4) $\frac{3}{2}$

(1) $\frac{3}{4}\div\frac{1}{12}=\frac{9}{12}\div\frac{1}{12}=9\div1=9$

(2) $\frac{5}{6}\div\frac{7}{30}=\frac{25}{30}\div\frac{7}{30}=25\div7=\frac{25}{7}$

(3) $\frac{3}{7}\div\frac{5}{14}=\frac{6}{14}\div\frac{5}{14}=6\div5=\frac{6}{5}$

(4) $\frac{2}{5}\div\frac{4}{15}=\frac{6}{15}\div\frac{4}{15}=6\div4=\frac{6}{4}=\frac{3}{2}$

04 답

$\frac{8}{9}\div\frac{1}{3}=\frac{8}{9}\div\frac{3}{9}=8\div3=\frac{8}{3}$

$\frac{1}{12}\div\frac{7}{36}=\frac{3}{36}\div\frac{7}{36}=3\div7=\frac{3}{7}$

$\frac{3}{7}\div\frac{5}{8}=\frac{24}{56}\div\frac{35}{56}=24\div35=\frac{24}{35}$

05 답 풀이 참조

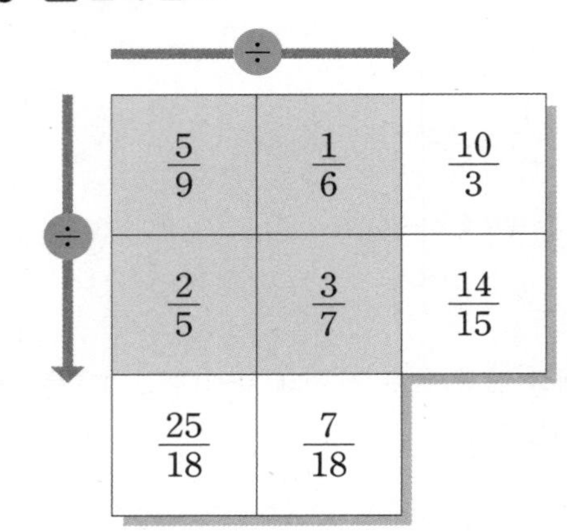

$\frac{5}{9}\div\frac{1}{6}=\frac{10}{18}\div\frac{3}{18}=10\div3=\frac{10}{3}$

$\frac{2}{5}\div\frac{3}{7}=\frac{14}{35}\div\frac{15}{35}=14\div15=\frac{14}{15}$

$\frac{5}{9}\div\frac{2}{5}=\frac{25}{45}\div\frac{18}{45}=25\div18=\frac{25}{18}$

$\frac{1}{6}\div\frac{3}{7}=\frac{7}{42}\div\frac{18}{42}=7\div18=\frac{7}{18}$

06 답 $<$

$\frac{2}{5}\div\frac{7}{12}=\frac{24}{60}\div\frac{35}{60}=24\div35=\frac{24}{35}$

$\frac{3}{4}\div\frac{2}{7}=\frac{21}{28}\div\frac{8}{28}=21\div8=\frac{21}{8}=2\frac{5}{8}$

따라서 ○ 안에 알맞은 것은 $<$입니다.

07 답 ㉢

㉠ $\frac{3}{5}\div\frac{1}{7}=\frac{21}{35}\div\frac{5}{35}=21\div5=\frac{21}{5}$

㉡ $\frac{5}{6}\div\frac{4}{9}=\frac{15}{18}\div\frac{8}{18}=15\div8=\frac{15}{8}$

㉢ $\frac{2}{9}\div\frac{4}{11}=\frac{22}{99}\div\frac{36}{99}=22\div36=\frac{22}{36}=\frac{11}{18}$

따라서 계산 결과가 1보다 작은 것은 ㉢입니다.

08 답 ㉠

㉠ $\frac{5}{6}\div\frac{3}{4}=\frac{10}{12}\div\frac{9}{12}=10\div9=\frac{10}{9}=1\frac{1}{9}$

㉡ $\frac{6}{7}\div\frac{2}{3}=\frac{18}{21}\div\frac{14}{21}=18\div14=\frac{9}{7}=1\frac{2}{7}$

㉢ $\frac{3}{4}\div\frac{7}{8}=\frac{6}{8}\div\frac{7}{8}=6\div7=\frac{6}{7}$

따라서 바르게 계산한 것은 ㉠입니다.

09 답 ㉡

㉠ $\frac{3}{11} \div \frac{7}{22} = \frac{6}{22} \div \frac{7}{22} = 6 \div 7 = \frac{6}{7}$

㉡ $\frac{5}{13} \div \frac{7}{26} = \frac{10}{26} \div \frac{7}{26} = 10 \div 7 = \frac{10}{7}$

㉢ $\frac{4}{45} \div \frac{7}{15} = \frac{4}{45} \div \frac{21}{45} = 4 \div 21 = \frac{4}{21}$

따라서 계산 결과가 가장 큰 것은 ㉡입니다.

10 답 $\frac{14}{13}$

$\frac{6}{7}\left(=\frac{78}{91}\right) < \frac{12}{13}\left(=\frac{84}{91}\right)$이므로

큰 수를 작은 수로 나눈 몫은

$\frac{12}{13} \div \frac{6}{7} = \frac{84}{91} \div \frac{78}{91} = 84 \div 78 = \frac{84}{78} = \frac{14}{13}$

입니다.

11 답 $\frac{9}{2}$ cm

(직사각형의 넓이)=(가로)×(세로)이므로

세로를 □cm라고 하면 $\frac{4}{39} \times \square = \frac{6}{13}$

$\square = \frac{6}{13} \div \frac{4}{39} = \frac{18}{39} \div \frac{4}{39} = 18 \div 4 = \frac{18}{4} = \frac{9}{2}$

따라서 세로는 $\frac{9}{2}$ cm입니다.

12 답 $\frac{9}{4}$

$\frac{6}{7} \div \frac{8}{21} = \frac{18}{21} \div \frac{8}{21} = 18 \div 8 = \frac{18}{8} = \frac{9}{4}$

따라서 □ 안에 알맞은 수는 $\frac{9}{4}$입니다.

13 답 $\frac{8}{25}$

어떤 수를 □라고 하면 $\square \times \frac{5}{6} = \frac{4}{15}$이므로

$\square = \frac{4}{15} \div \frac{5}{6} = \frac{8}{30} \div \frac{25}{30} = 8 \div 25 = \frac{8}{25}$

따라서 어떤 수는 $\frac{8}{25}$입니다.

14 답 6 cm

(평행사변형의 넓이)=(밑변)×(높이)이므로

높이를 □cm라고 하면 $\frac{4}{27} \times \square = \frac{8}{9}$

$\square = \frac{8}{9} \div \frac{4}{27} = \frac{24}{27} \div \frac{4}{27} = 24 \div 4 = 6$

따라서 평행사변형의 높이는 6 cm입니다.

15 답 ㉠, $\frac{18}{7}$

㉠ $\frac{4}{7} \div \frac{2}{9} = \frac{36}{63} \div \frac{14}{63} = 36 \div 14 = \frac{36}{14} = \frac{18}{7}$

㉡ $\frac{3}{4} \div \frac{5}{9} = \frac{27}{36} \div \frac{20}{36} = 27 \div 20 = \frac{27}{20} = 1\frac{7}{20}$

따라서 계산이 잘못된 것은 ㉠이고, 바르게 계산하면 $\frac{18}{7}$입니다.

16 답 1, 2, 3

$\frac{25}{27} \div \frac{13}{54} = \frac{50}{54} \div \frac{13}{54} = 50 \div 13 = \frac{50}{13} = 3\frac{11}{13}$

따라서 □ 안에 들어갈 수 있는 수는 1, 2, 3입니다.

17 답 $\frac{27}{14}$배

$\frac{3}{7} \div \frac{2}{9} = \frac{27}{63} \div \frac{14}{63} = 27 \div 14 = \frac{27}{14}$

따라서 유리가 마신 음료수의 양은 혜지가 마신 음료수의 양의 $\frac{27}{14}$배입니다.

18 답 $\frac{21}{10}$ m

1분 동안 갈 수 있는 거리는

(이동한 거리)÷(걸린 시간)이므로

$\frac{7}{16} \div \frac{5}{24} = \frac{21}{48} \div \frac{10}{48} = 21 \div 10 = \frac{21}{10}$

따라서 장난감 자동차가 1분 동안 갈 수 있는 거리는 $\frac{21}{10}$ m입니다.

19 답 $\frac{56}{27}$

어떤 수를 □라고 하면 $\square \times \frac{9}{14} = \frac{6}{7}$이므로

$\square = \frac{6}{7} \div \frac{9}{14} = \frac{12}{14} \div \frac{9}{14} = 12 \div 9 = \frac{12}{9} = \frac{4}{3}$

따라서 바르게 계산하면

$\frac{4}{3} \div \frac{9}{14} = \frac{56}{42} \div \frac{27}{42} = 56 \div 27 = \frac{56}{27}$입니다.

03 (자연수)÷(분수)

p. 15~17

> 교과서 + 익힘책 유형

01 풀이 참조 **02** 2, 3, 12
03 (1) 8 (2) 24 (3) 21 (4) 96 **04** 풀이 참조
05 20, 25 **06** <

> 교과서 + 익힘책 응용 유형

07 ㉢, ㉡, ㉠ **08** 풀이 참조 **09** ㉡
10 69 **11** 22, 23 **12** 77개

> 잘 틀리는 유형

13 ㉣ **14** 15 m **15** 20 cm^2
16 27 **17** 11 **18** 96 km

01 답 풀이 참조

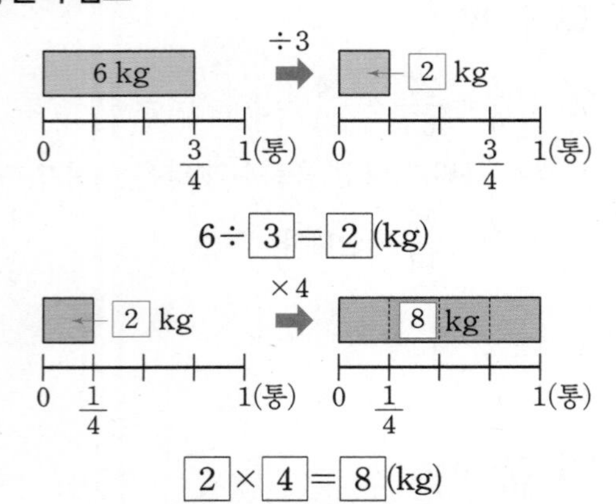

02 답 2, 3, 12

$8\div\frac{2}{3}=(8\div 2)\times 3=12$

03 답 (1) 8 (2) 24 (3) 21 (4) 96

(1) $6\div\frac{3}{4}=(6\div 3)\times 4=8$

(2) $8\div\frac{2}{6}=(8\div 2)\times 6=24$

(3) $15\div\frac{5}{7}=(15\div 5)\times 7=21$

(4) $21\div\frac{7}{32}=(21\div 7)\times 32=96$

04 답

$24\div\frac{6}{7}=(24\div 6)\times 7=28$

$35\div\frac{5}{7}=(35\div 5)\times 7=49$

05 답 20, 25

$8\div\frac{2}{5}=(8\div 2)\times 5=20$

$20\div\frac{4}{5}=(20\div 4)\times 5=25$

06 답 <

$45\div\frac{9}{13}=(45\div 9)\times 13=5\times 13=65$

$16\div\frac{4}{17}=(16\div 4)\times 17=4\times 17=68$

따라서 ○ 안에 알맞은 것은 <입니다.

07 답 ㉢, ㉡, ㉠

㉠ $8\div\frac{2}{3}=(8\div 2)\times 3=12$

㉡ $7\div\frac{7}{15}=(7\div 7)\times 15=15$

㉢ $9\div\frac{3}{7}=(9\div 3)\times 7=21$

따라서 계산 결과가 큰 것부터 차례대로 기호를 쓰면 ㉢, ㉡, ㉠입니다.

08 답 풀이 참조

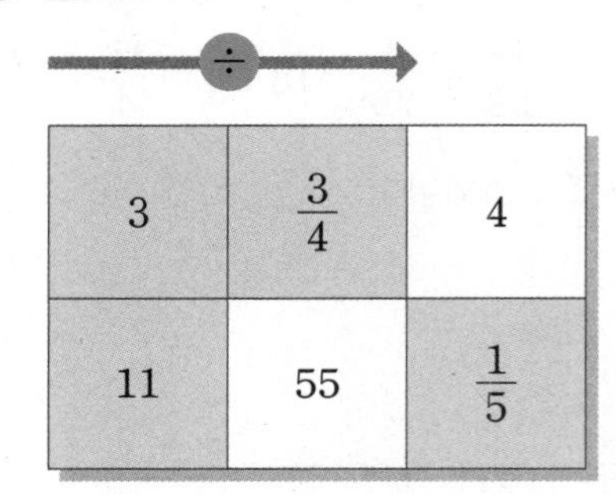

$3\div\frac{3}{4}=(3\div 3)\times 4=4$

$11\div\frac{1}{5}=(11\div 1)\times 5=55$

09 답 ㉡

㉠ $32\div\frac{4}{9}=(32\div 4)\times 9=8\times 9=72$

㉡ $42\div\frac{7}{15}=(42\div 7)\times 15=6\times 15=90$

㉢ $48\div\frac{8}{9}=(48\div 8)\times 9=6\times 9=54$

따라서 계산 결과가 가장 큰 것은 ㉡입니다.

10 답 69

㉠ $24\div\frac{8}{9}=(24\div 8)\times 9=3\times 9=27$

㉡ $18\div\frac{3}{7}=(18\div 3)\times 7=6\times 7=42$

따라서 ㉠+㉡=27+42=69입니다.

11 답 22, 23

$6\div\frac{2}{7}=(6\div2)\times7=3\times7=21$

$8\div\frac{1}{3}=(8\div1)\times3=8\times3=24$

따라서 $21<\square<24$이므로 □ 안에 들어갈 수 있는 자연수는 22, 23입니다.

12 답 77개

$49\div\frac{7}{11}=(49\div7)\times11=7\times11=77$

따라서 상자를 모두 77개 묶을 수 있습니다.

13 답 ㉣

㉠ $(5\div1)\times\square=20$이므로 $\square=4$

㉡ $(\square\div1)\times4=16$이므로 $\square=4$

㉢ $(\square\div1)\times8=32$이므로 $\square=4$

㉣ $(9\div1)\times\square=27$이므로 $\square=3$

따라서 □ 안에 알맞은 수가 다른 것은 ㉣입니다.

14 답 15 m

$7\div\frac{7}{15}=(7\div7)\times15=15$

따라서 화단의 가로는 15 m입니다.

15 답 20 cm^2

색칠된 부분은 전체의 $\frac{3}{5}$입니다.

따라서 도형 전체의 넓이는

$12\div\frac{3}{5}=(12\div3)\times5=4\times5=20(\text{cm}^2)$입니다.

16 답 27

어떤 수를 □라고 하면 $\square\times\frac{7}{9}=21$이므로

$\square=21\div\frac{7}{9}=(21\div7)\times9=3\times9=27$

따라서 어떤 수는 27입니다.

17 답 11

$10\div\frac{5}{6}=(10\div5)\times6=2\times6=12$

따라서 $\square<12$이므로 □ 안에 들어갈 수 있는 가장 큰 자연수는 11입니다.

18 답 96 km

$50분=\frac{5}{6}시간$

(1시간 동안 달릴 수 있는 거리)

$=40\div\frac{5}{6}=(40\div5)\times6=8\times6=48(\text{km})$

(2시간 동안 달릴 수 있는 거리)$=48\times2=96(\text{km})$

따라서 2시간 동안 96 km 달릴 수 있습니다.

04 (분수)÷(분수)

p. 19~21

> 교과서 + 익힘책 유형

01 풀이 참조 **02** 풀이 참조 **03** $\frac{16}{3}$

04 (1) 5 (2) 4 (3) 2 (4) 16 **05** <

> 교과서 + 익힘책 응용 유형

06 5배 **07** $\frac{5}{3}$, $\frac{15}{2}$ **08** ㉢, $\frac{20}{21}$

09 ㉠, ㉢, ㉡ **10** 40 **11** $\frac{8}{5}$ cm

> 잘 틀리는 유형

12 풀이 참조 **13** $\frac{25}{9}$ **14** $\frac{23}{3}$

15 $\frac{84}{5}$ km **16** 10 m **17** $\frac{64}{15}$ cm

01 답 풀이 참조

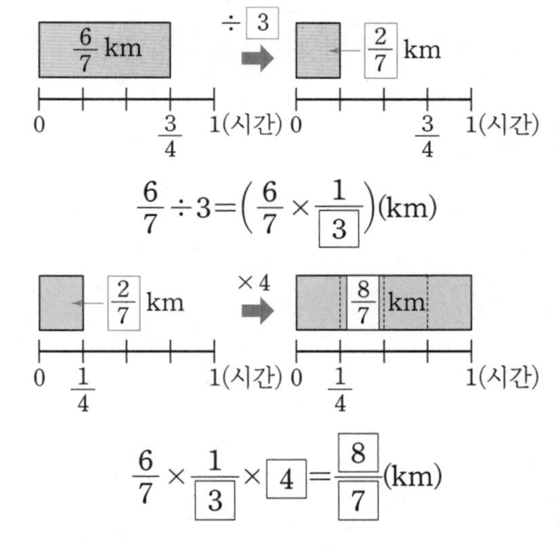

02 답 풀이 참조

[방법 1]

$7\div\frac{4}{5}=\frac{\boxed{35}}{5}\div\frac{4}{5}=\boxed{35}\div4=\boxed{\frac{35}{4}}$

[방법 2]

$7\div\frac{4}{5}=7\times\frac{5}{\boxed{4}}=\frac{\boxed{35}}{\boxed{4}}$

03 답 $\frac{16}{3}$

$3\frac{1}{3}\div\frac{5}{8}=\frac{10}{3}\div\frac{5}{8}=\frac{10}{3}\times\frac{8}{5}=\frac{16}{3}$

04 답 (1) 5 (2) 4 (3) 2 (4) 16

(1) $\frac{5}{6}\div\frac{1}{6}=\frac{5}{6}\times6=5$

(2) $\frac{16}{15}\div\frac{4}{15}=\frac{16}{15}\times\frac{15}{4}=4$

(3) $1\frac{1}{2}\div\frac{3}{4}=\frac{3}{2}\times\frac{4}{3}=2$

(4) $2\frac{2}{3}\div\frac{1}{6}=\frac{8}{3}\times6=16$

05 답 $<$

$1\frac{4}{5}\div\frac{1}{3}=\frac{9}{5}\div\frac{1}{3}=\frac{9}{5}\times3=\frac{27}{5}=5\frac{2}{5}$

$\frac{6}{7}\div\frac{2}{21}=\frac{6}{7}\times\frac{21}{2}=9$

따라서 ○ 안에 알맞은 것은 $<$입니다.

06 답 5배

㉠ $11\div\frac{1}{2}=11\times2=22$

㉡ $2\frac{1}{5}\div\frac{1}{2}=\frac{11}{5}\times2=\frac{22}{5}$

㉠÷㉡$=22\div\frac{22}{5}=22\times\frac{5}{22}=5$

따라서 ㉠은 ㉡의 5배입니다.

07 답 $\frac{5}{3}$, $\frac{15}{2}$

$1\frac{1}{6}\div\frac{7}{10}=\frac{7}{6}\div\frac{7}{10}=\frac{7}{6}\times\frac{10}{7}=\frac{5}{3}$

$\frac{5}{3}\div\frac{2}{9}=\frac{5}{3}\times\frac{9}{2}=\frac{15}{2}$

08 답 ㉢, $\frac{20}{21}$

㉢ $\frac{5}{7}\div\frac{3}{4}=\frac{5}{7}\times\frac{4}{3}=\frac{20}{21}$

따라서 잘못 계산한 것은 ㉢이고, 바르게 계산하면 $\frac{20}{21}$입니다.

09 답 ㉠, ㉢, ㉡

㉠ $5\div\frac{1}{3}=5\times3=15$

㉡ $\frac{3}{10}\div\frac{2}{5}=\frac{3}{10}\times\frac{5}{2}=\frac{3}{4}$

㉢ $3\frac{1}{2}\div\frac{8}{15}=\frac{7}{2}\times\frac{15}{8}=\frac{105}{16}=6\frac{9}{16}$

따라서 계산 결과가 큰 것부터 차례대로 기호를 쓰면 ㉠, ㉢, ㉡입니다.

10 답 40

$\frac{6}{11}\div\frac{2}{7}=\frac{6}{11}\times\frac{7}{2}=\frac{21}{11}=1\frac{10}{11}$

따라서 ㉠=7, ㉡=2, ㉢=21, ㉣=10이므로

㉠+㉡+㉢+㉣=40입니다.

11 답 $\frac{8}{5}$ cm

(사다리꼴의 넓이)$=\left(1\frac{2}{3}+2\frac{1}{2}\right)\times\square\div2$

$=3\frac{1}{3}(\text{cm}^2)$

$1\frac{2}{3}+2\frac{1}{2}=1\frac{4}{6}+2\frac{3}{6}=4\frac{1}{6}=\frac{25}{6}$

$\frac{25}{6}\times\square=\frac{20}{3}$이므로

$\square=\frac{20}{3}\div\frac{25}{6}=\frac{20}{3}\times\frac{6}{25}=\frac{8}{5}$

따라서 사다리꼴의 높이는 $\frac{8}{5}$ cm입니다.

12 답 풀이 참조

나누는 분수의 분모와 분자를 바꾸어 곱하고 나누어지는 수의 분모와 분자는 바꾸어 곱하지 않아야 하는데 바꾸어 곱했습니다.

따라서 바르게 계산하면

$\frac{5}{6}\div\frac{7}{12}=\frac{5}{6}\times\frac{12}{7}=\frac{10}{7}=1\frac{3}{7}$ 입니다.

13 답 $\frac{25}{9}$

어떤 수를 □라고 하면 $\square\times\frac{4}{5}=1\frac{7}{9}$이므로

$\square=1\frac{7}{9}\div\frac{4}{5}=\frac{16}{9}\times\frac{5}{4}=\frac{20}{9}$

따라서 바르게 계산하면

$\frac{20}{9}\div\frac{4}{5}=\frac{20}{9}\times\frac{5}{4}=\frac{25}{9}$ 입니다.

14 답 $\frac{23}{3}$

$1\frac{2}{3} ★ 2\frac{1}{6}=\left(1\frac{2}{3}+2\frac{1}{6}\right)\div\left(2\frac{1}{6}-1\frac{2}{3}\right)$

$=\left(\frac{5}{3}+\frac{13}{6}\right)\div\left(\frac{13}{6}-\frac{5}{3}\right)$

$=\frac{23}{6}\div\frac{1}{2}=\frac{23}{6}\times 2=\frac{23}{3}$

15 답 $\frac{84}{5}$ km

(휘발유 1 L로 달릴 수 있는 거리)

$=7\frac{1}{5}\div\frac{3}{7}=\frac{36}{5}\div\frac{3}{7}=\frac{36}{5}\times\frac{7}{3}=\frac{84}{5}$(km)

따라서 휘발유 1 L로 $\frac{84}{5}$ km를 달릴 수 있습니다.

16 답 10 m

처음 떨어뜨린 높이를 □m라고 하면

$\square\times\frac{3}{5}\times\frac{3}{5}=3\frac{3}{5}$이므로

$\square=3\frac{3}{5}\div\frac{3}{5}\div\frac{3}{5}=\frac{18}{5}\times\frac{5}{3}\times\frac{5}{3}=10$

따라서 처음 공을 떨어뜨린 높이는 10 m입니다.

17 답 $\frac{64}{15}$ cm

직사각형의 넓이는

$2\frac{1}{3}\times\frac{4}{5}=\frac{7}{3}\times\frac{4}{5}=\frac{28}{15}$(cm^2)입니다.

두 도형의 넓이가 같으므로 삼각형의 높이를

□cm라고 하면

$\frac{7}{8}\times\square\div 2=\frac{28}{15}$

$\square=\frac{28}{15}\div\frac{7}{8}\times 2=\frac{28}{15}\times\frac{8}{7}\times 2=\frac{64}{15}$

따라서 삼각형의 높이는 $\frac{64}{15}$ cm입니다.

p. 22

태양과 행성 사이의 거리

[1] 지구와 태양 사이의 거리는 1 AU이고, 수성과 태양 사이의 거리는 $\frac{2}{5}$ AU이므로 지구와 태양 사이의 거리는 수성과 태양 사이의 거리의

$1\div\frac{2}{5}=1\times\frac{5}{2}=\frac{5}{2}$(배)입니다.

[2] 목성과 태양 사이의 거리는 $5\frac{1}{5}$ AU이므로 목성과 태양 사이의 거리는 수성과 태양 사이의 거리의

$5\frac{1}{5}\div\frac{2}{5}=\frac{26}{5}\times\frac{5}{2}=13$(배)입니다.

[3] 화성과 금성 사이의 거리는

$1\frac{1}{2}-\frac{7}{10}=\frac{3}{2}-\frac{7}{10}=\frac{15}{10}-\frac{7}{10}=\frac{8}{10}$(AU)이므로 화성과 금성 사이의 거리는 수성과 태양 사이의 거리의 $\frac{8}{10}\div\frac{2}{5}=\frac{8}{10}\times\frac{5}{2}=2$(배)입니다.

답 [1] $\frac{5}{2}$배 [2] 13배 [3] 2배

2 ::: 소수의 나눗셈

05 (소수)÷(소수) (1)

p. 25~27

>교과서 + 익힘책 유형

01 4, 4 **02** 328, 328, 328, 82
03 풀이 참조 **04** 풀이 참조 **05** $<$

>교과서 + 익힘책 응용 유형

06 16, 2 **07** ③ **08** ㉠
09 풀이 참조 **10** 4 cm **11** 242도막

>잘 틀리는 유형

12 7배 **13** ㉡ **14** 풀이 참조
15 52 **16** 9 cm **17** 93개

01 답 4, 4

1.2에서 0.3을 [4]번 덜어 낼 수 있으므로

$1.2 \div 0.3 =$ [4]입니다.

02 답 328, 328, 328, 82

$3.28\text{ m} =$ [328] cm, $0.04\text{ m} = 4\text{ cm}$입니다.

철사 3.28 m를 0.04 m씩 자르는 것은

철사 [328] cm를 4 cm씩 자르는 것과 같습니다.

⇨ $3.28 \div 0.04 =$ [328] $\div 4 =$ [82]

03 답 풀이 참조

$25.5 \div 0.5 = 255 \div 5 = 51$

04 답 풀이 참조

(1) 73.6과 0.8에 10배 하여

(자연수)÷(자연수)로 바꾸어 계산하면

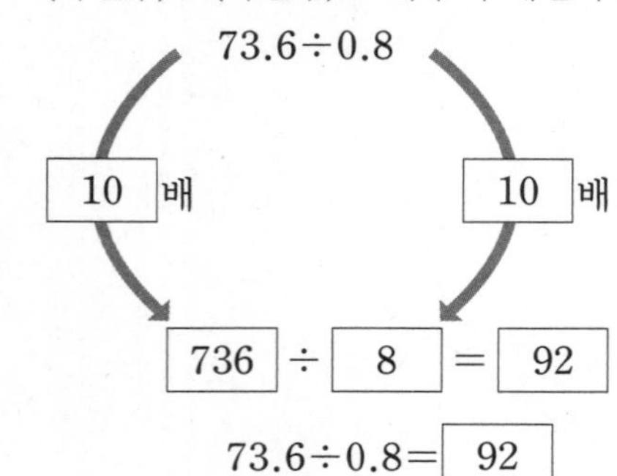

(2) 5.16과 0.06에 100배 하여

(자연수)÷(자연수)로 바꾸어 계산하면

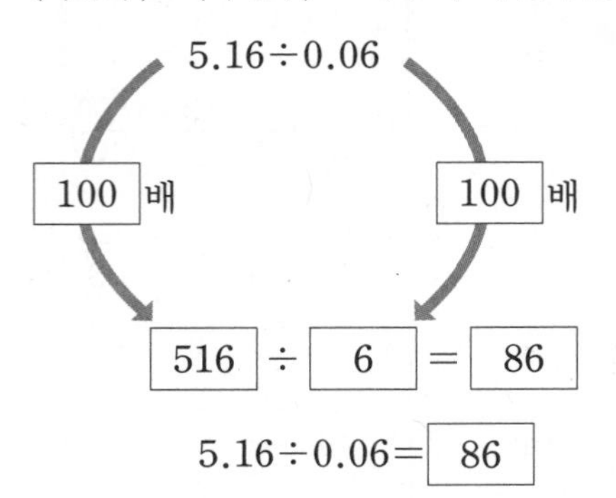

05 답 $<$

$7.2 \div 0.6 = 72 \div 6 = 12$

$0.65 \div 0.05 = 65 \div 5 = 13$

따라서 ○ 안에 알맞은 것은 $<$입니다.

06 답 16, 2

$11.2 \div 0.7 = 112 \div 7 = 16$

$16 \div 8 = 2$

07 답 ③

8.1과 0.9에 10배 하여

(자연수)÷(자연수)로 바꾸어 계산하면

$8.1 \div 0.9 = 81 \div 9 = 9$입니다.

따라서 소수점을 바르게 옮긴 것은 ③입니다.

08 답 ㉠

㉠ $15.6 \div 1.3 = 156 \div 13 = 12$

㉡ $8.4 \div 2.8 = 84 \div 28 = 3$

㉢ $22.4 \div 1.6 = 224 \div 16 = 14$

따라서 계산 결과가 두 번째로 작은 것은 ㉠입니다.

09 답

$8.64 \div 0.36 = 864 \div 36 = 24$

$53.2 \div 1.4 = 532 \div 14 = 38$

$34.2 \div 1.9 = 342 \div 19 = 18$

10 답 4 cm

직사각형의 세로를 □cm라고 하면

$1.6 \times \square = 6.4$

$\square = 6.4 \div 1.6 = 64 \div 16 = 4$

따라서 직사각형의 세로는 4 cm입니다.

11 답 242도막

(도막 수)$= 4.84 \div 0.02 = 484 \div 2 = 242$(도막)

따라서 자른 색 테이프는 모두 242도막입니다.

12 답 7배

㉠ $2.52 \div 0.03 = 252 \div 3 = 84$

㉡ $2.76 \div 0.23 = 276 \div 23 = 12$

㉠÷㉡$=84 \div 12 = 7$

따라서 ㉠은 ㉡의 7배입니다.

13 답 ㉡

㉠ $16.96 \div 2.12 = 1696 \div 212 = 8$

㉡ $25.28 \div 6.32 = 2528 \div 632 = 4$

㉢ $25.44 \div 3.18 = 2544 \div 318 = 8$

따라서 몫이 다른 하나는 ㉡입니다.

14 답 풀이 참조

나누는 수와 나누어지는 수를 각각 10배하면 $448 \div 8$이 되므로 448과 8에 각각 $\frac{1}{10}$을 곱하면 $44.8 \div 0.8$입니다.

따라서 조건을 만족하는 나눗셈식은 $44.8 \div 0.8$이고 $44.8 \div 0.8 = 448 \div 8 = 56$입니다.

15 답 52

$3.57 \div 0.07 = 357 \div 7 = 51$

따라서 $\square > 51$이므로 $\square$ 안에 들어갈 수 있는 가장 작은 자연수는 52입니다.

16 답 9 cm

평행사변형의 높이를 $\square$cm라고 하면

$3.2 \times \square = 28.8$

$\square = 28.8 \div 3.2 = 288 \div 32 = 9$

따라서 평행사변형의 높이는 9 cm입니다.

17 답 93개

(필요한 통의 수)$=46.5 \div 0.5 = 465 \div 5 = 93$(개)

따라서 통은 모두 93개 필요합니다.

06 (소수)÷(소수) (2)

p. 29~31

> 교과서 + 익힘책 유형

01 풀이 참조 **02** 풀이 참조

03 (1) 16 (2) 16 (3) 57 (4) 24

04 풀이 참조 **05** < **06** 풀이 참조

> 교과서 + 익힘책 응용 유형

07 ㉠, ㉣, ㉢, ㉡ **08** 19

09 1, 2, 3 **10** 21 **11** 5

12 16개

> 잘 틀리는 유형

13 10 **14** 4개 **15** 16 cm

16 풀이 참조 **17** 풀이 참조 **18** 32그루

01 답 풀이 참조

$80.6 \div 2.6 = \frac{806}{10} \div \frac{26}{10} = 806 \div 26 = 31$

02 답 풀이 참조

[방법 1]

$6.48 \div 0.24 = \frac{\boxed{648}}{100} \div \frac{\boxed{24}}{100} = \boxed{648} \div \boxed{24} = \boxed{27}$

[방법 2]

```
          [2 7]
0.24 ) 6.4 8
       [4 8]
       [1 6 8]
       [1 6 8]
           0
```

03 답 (1) 16 (2) 16 (3) 57 (4) 24

(1) $6.4 \div 0.4 = \frac{64}{10} \div \frac{4}{10} = 64 \div 4 = 16$

(2) $8.48 \div 0.53 = \frac{848}{100} \div \frac{53}{100} = 848 \div 53 = 16$

(3)
```
          5 7
0.07 ) 3.9 9
       3 5
         4 9
         4 9
           0
```

(4)
```
            2 4
0.43 ) 1 0.3 2
         8 6
         1 7 2
         1 7 2
             0
```

04 답 풀이 참조

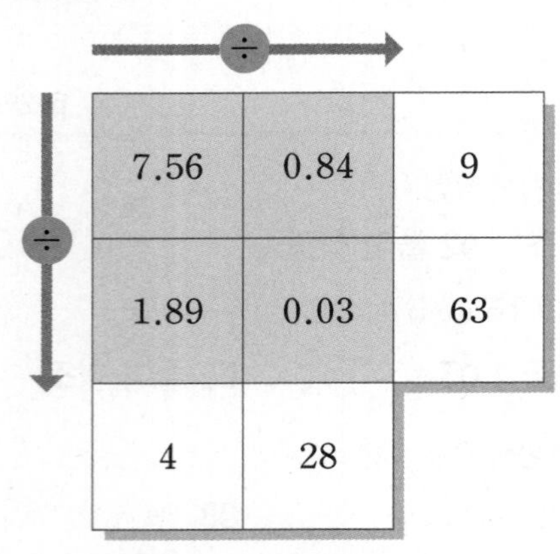

$7.56 \div 0.84 = \frac{756}{100} \div \frac{84}{100} = 756 \div 84 = 9$

$1.89 \div 0.03 = \frac{189}{100} \div \frac{3}{100} = 189 \div 3 = 63$

$$\begin{array}{r} 9 \\ 0.84\overline{)7.56} \\ \underline{756} \\ 0 \end{array}$$

$0.84 \div 0.03 = \frac{84}{100} \div \frac{3}{100} = 84 \div 3 = 28$

05 답 <

$$\begin{array}{r} 13 \\ 0.32\overline{)4.16} \\ \underline{32} \\ 96 \\ \underline{96} \\ 0 \end{array} \qquad \begin{array}{r} 16 \\ 0.28\overline{)4.48} \\ \underline{28} \\ 168 \\ \underline{168} \\ 0 \end{array}$$

따라서 ○ 안에 알맞은 것은 <입니다.

06 답

$$\begin{array}{r} 17 \\ 1.1\overline{)18.7} \\ \underline{11} \\ 77 \\ \underline{77} \\ 0 \end{array}$$

$$\begin{array}{r} 14 \\ 0.17\overline{)2.38} \\ \underline{17} \\ 68 \\ \underline{68} \\ 0 \end{array}$$

$$\begin{array}{r} 12 \\ 0.13\overline{)1.56} \\ \underline{13} \\ 26 \\ \underline{26} \\ 0 \end{array}$$

07 답 ㉠, ㉣, ㉢, ㉡

㉠ $7.49 \div 0.07 = 107$

㉡ $2.25 \div 0.15 = 15$

㉢ $3.12 \div 0.13 = 24$

㉣ $9.3 \div 0.3 = 31$

따라서 몫이 큰 것부터 차례대로 기호를 쓰면 ㉠, ㉣, ㉢, ㉡입니다.

08 답 19

큰 수는 9.88이고, 작은 수는 0.52입니다.
따라서 큰 수를 작은 수로 나눈 몫은
$9.88 \div 0.52 = 19$입니다.

09 답 1, 2, 3

$15.6 \div 3.9 = 4$

따라서 □<4이므로 □ 안에 들어갈 수 있는 수는 1, 2, 3입니다.

10 답 21

어떤 수를 □라고 하면 □$\times 0.23 = 4.83$이므로
□$= 4.83 \div 0.23 = 21$
따라서 어떤 수는 21입니다.

11 답 5

$$\begin{array}{r} 1\,4 \\ 2.6\overline{)3\,6.㉡} \\ \underline{2\,6} \\ 1\,0\,㉡ \\ \underline{1\,0\,4} \\ 0 \end{array}$$

따라서 ㉠=1, ㉡=4이므로 ㉠과 ㉡의 합은
㉠+㉡$=4+1=5$입니다.

12 답 16개

(만들 수 있는 케이크의 수)$=54.4\div3.4=16$(개)

따라서 케이크를 모두 16개 만들 수 있습니다.

13 답 10

$30.6▲1.8=(30.6\div5.1)+(7.2\div1.8)$

$=6+4$

$=10$

14 답 4개

$36.8\div1.6=23$

$16.8\div0.6=28$

따라서 $23<\square<28$이므로 $\square$ 안에 들어갈 수 있는 자연수는 24, 25, 26, 27의 4개입니다.

15 답 16 cm

삼각형의 높이를 $\square$cm라고 하면

$4.2\times\square\div2=33.6$

$4.2\times\square=67.2$

$\square=67.2\div4.2=16$

따라서 삼각형의 높이는 16 cm입니다.

16 답 풀이 참조

```
        0.2 4                      2 4
0.56)1 3.4 4   ⇨   0.56)1 3.4 4
     1 1 2                 1 1 2
     -----                 -----
       2 2 4                 2 2 4
       2 2 4                 2 2 4
       -----                 -----
           0                     0
```

소수점 자리를 잘못 맞추어 계산하였습니다.

소수점을 각각 오른쪽으로 두 자리씩 옮겨 바르게 계산하면 $13.44\div0.56=24$입니다.

17 답 풀이 참조

나눗셈식 $\square.\square\overline{)\square\square.\square}$ 에서 나누어지는 수가 클수록, 나누는 수가 작을수록 몫이 커집니다.

숫자 1, 2, 4, 6, 8을 한 번씩만 사용하여 만들 수 있는 가장 큰 나누어지는 수는 86.4이고 만들 수 있는 가장 작은 나누는 수는 1.2입니다.

따라서 몫이 가장 크게 되도록 나눗셈식을 완성하면 $1.2\overline{)86.4}$ 이고, 계산하면 72입니다.

```
        7 2
1.2)8 6.4
    8 4
    ---
      2 4
      2 4
      ---
        0
```

18 답 32그루

(직선 도로의 길이)$\div$(가로수의 간격)

$=89.9\div2.9=31$

따라서 도로 한 쪽에 필요한 가로수의 수는 $31+1=32$(그루)입니다.

07 (소수)÷(소수) (3)

p. 33~35

> 교과서 + 익힘책 유형

01 풀이 참조 **02** 풀이 참조 **03** 풀이 참조

04 1.6

05 (1) 1.4 (2) 2.5 (3) 5.2 (4) 3.8

06 $>$

> 교과서 + 익힘책 응용 유형

07 ㉣ **08** ㉡, ㉢, ㉠ **09** 6

10 1, 2, 3, 4 **11** 5.5 **12** 1.3배

> 잘 틀리는 유형

13 풀이 참조 **14** 풀이 참조 **15** 5.4 cm

16 풀이 참조 **17** 미만, 4조각 **18** 28140원

01 답 풀이 참조

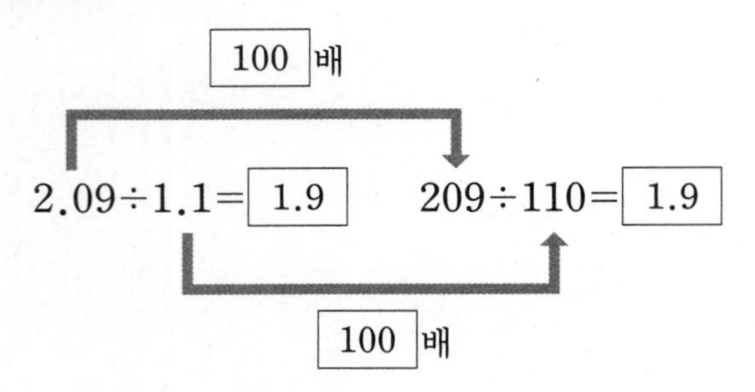

02 답 풀이 참조

$2.61 \div 0.3 = \frac{261}{100} \div \frac{30}{100} = 261 \div 30 = 8.7$

03 답 풀이 참조

[방법 1]

$1.32 \div 0.4 = \frac{\boxed{132}}{100} \div \frac{\boxed{40}}{100}$

$= \boxed{132} \div \boxed{40} = \boxed{3.3}$

[방법 2]

$$\begin{array}{r} \boxed{3.3} \\ 0.4\overline{)1.3\,2} \\ \boxed{1\,2} \\ \hline \boxed{1\,2} \\ \boxed{1\,2} \\ \hline 0 \end{array}$$

04 답 1.6

$$\begin{array}{r} 1.6 \\ 3.2\overline{)5.1\,2} \\ 3\,2 \\ \hline 1\,9\,2 \\ 1\,9\,2 \\ \hline 0 \end{array}$$

05 답 (1) 1.4 (2) 2.5 (3) 5.2 (4) 3.8

(1) $4.06 \div 2.9 = \frac{406}{100} \div \frac{290}{100} = 406 \div 290 = 1.4$

(2) $8.25 \div 3.3 = \frac{825}{100} \div \frac{330}{100} = 825 \div 330 = 2.5$

(3)
$$\begin{array}{r} 5.2 \\ 1.4\overline{)7.2\,8} \\ 7\,0 \\ \hline 2\,8 \\ 2\,8 \\ \hline 0 \end{array}$$

(4)
$$\begin{array}{r} 3.8 \\ 2.1\overline{)7.9\,8} \\ 6\,3 \\ \hline 1\,6\,8 \\ 1\,6\,8 \\ \hline 0 \end{array}$$

06 답 $>$

$$\begin{array}{r} 1.7 \\ 0.3\overline{)0.5\,1} \\ 3 \\ \hline 2\,1 \\ 2\,1 \\ \hline 0 \end{array} \qquad \begin{array}{r} 1.4 \\ 1.8\overline{)2.5\,2} \\ 1\,8 \\ \hline 7\,2 \\ 7\,2 \\ \hline 0 \end{array}$$

따라서 ○ 안에 알맞은 것은 $>$입니다.

07 답 ㉣

㉠ $1.36 \div 1.7 = 0.8$

㉡ $13.6 \div 17 = 0.8$

㉢ $\frac{136}{100} \div \frac{170}{100} = 0.8$

㉣ $136 \div 17 = 8$

따라서 계산 결과가 다른 것은 ㉣입니다.

08 답 ㉡, ㉢, ㉠

㉠ $8.32 \div 2.6 = 3.2$

㉡ $0.96 \div 0.8 = 1.2$

㉢ $3.23 \div 1.9 = 1.7$

따라서 계산 결과가 가장 작은 것부터 차례대로 기호를 쓰면 ㉡, ㉢, ㉠입니다.

09 답 6

어떤 수를 □라고 하면 □$\times 2.8=47.04$이므로

□$=47.04\div 2.8=16.8$

따라서 바르게 계산하면 $16.8\div 2.8=6$입니다.

10 답 1, 2, 3, 4

$11.96\div 2.6=4.6$

따라서 □<4.6이므로 □ 안에 들어갈 수 있는 자연수는 1, 2, 3, 4입니다.

11 답 5.5

$87.36\div 20.8=4.2$

$2.08\div 1.6=1.3$

따라서 빈칸에 알맞은 수의 합은 $4.2+1.3=5.5$입니다.

12 답 1.3배

$2.34\div 1.8=1.3$

따라서 집에서 지하철역까지의 거리는 학교에서 지하철역까지의 거리의 1.3배입니다.

13 답 풀이 참조

분모가 다른 분수의 나눗셈으로 고쳤습니다.

따라서 바르게 계산하면

$3.23\div 1.7=\frac{323}{100}\div\frac{170}{100}=323\div 170=1.9$입니다.

14 답 풀이 참조

나누어지는 수가 클수록, 나누는 수가 작을수록 몫이 커집니다. 숫자 2, 5, 6, 7, 9를 한 번씩만 사용하여 만들 수 있는 가장 큰 나누어지는 수는 9.76이고 만들 수 있는 가장 작은 나누는 수는 2.5입니다.

따라서 몫이 가장 큰 나눗셈식은 $9.76\div 2.5$이고, 계산하면 3.904입니다.

15 답 5.4 cm

삼각형의 높이를 □cm라고 하면

$8.7\times$□$\div 2=23.49$이므로

$8.7\times$□$=46.98$

□$=46.98\div 8.7=5.4$

따라서 삼각형의 높이는 5.4 cm입니다.

16 답 풀이 참조

```
          0 . ㉡  3
6.㉠ ) 3 . ㉢  0  4
        3   4  0
        ---------
        2  ㉣  ㉤
        2   0  4
        ---------
               0
```

$204\div 3=68$이므로 ㉠$=8$

$340\div 68=5$이므로 ㉡$=5$

㉢$-4=2$이므로 ㉢$=6$

2㉣㉤$-240=0$이므로 ㉣$=4$, ㉤$=0$입니다.

따라서 나눗셈식을 완성하면 다음과 같습니다.

```
        0.5 3
6.8 ) 3.6 0 4
      3 4 0
      -------
        2 0 4
        2 0 4
      -------
            0
```

17 답 미란, 4조각

(미란이의 색 테이프 조각 수)

$=10.8\div 0.9=12$(조각)

(수빈이의 색 테이프 조각 수)

$=10.8\div 1.35=8$(조각)

따라서 미란이가 자른 색 테이프 조각이 수빈이가 자른 색 테이프보다 4조각 더 많습니다.

18 답 28140원

(휘발유 1 L로 갈 수 있는 거리)

$=19.52\div 1.6=12.2$(km)

이므로 이 자동차가 170.8 km를 가는 데

$170.8\div 12.2=14$(L)의 휘발유가 필요합니다.

따라서 170.8 km를 가는데 필요한 휘발유의 가격은

$2010\times 14=28140$(원)입니다.

08 (자연수)÷(소수)

p. 37~39

> 교과서 + 익힘책 유형

01 풀이 참조 **02** 풀이 참조

03 (1) 8 (2) 8 (3) 6 (4) 30

04 풀이 참조 **05** 풀이 참조 **06** >

> 교과서 + 익힘책 응용 유형

07 ⑤ **08** 13, 14 **09** ㉡, ㉢, ㉠

10 (1) (위에서부터) 9, 90, 900

(2) (위에서부터) 24, 240, 2400

11 630개 **12** 4 cm

> 잘 틀리는 유형

13 ㉡ **14** 262.5 **15** 풀이 참조

16 141그루 **17** 7.2 cm **18** 풀이 참조

01 답 풀이 참조

$38\div0.4=\frac{380}{10}\div\frac{4}{10}=380\div4=95$

02 답 풀이 참조

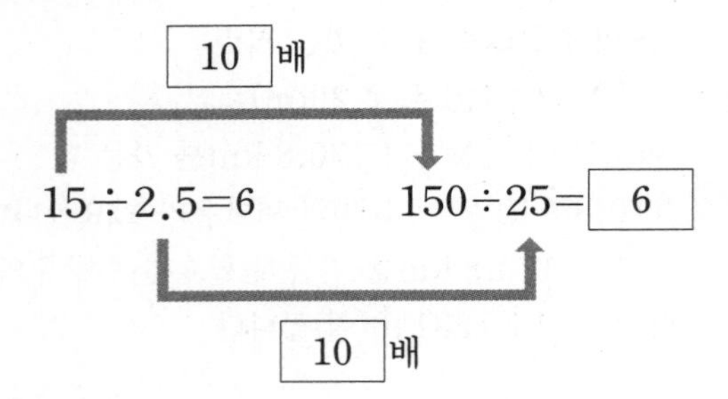

03 답 (1) 8, (2) 8 (3) 6 (4) 30

(1) $28\div3.5=\frac{280}{10}\div\frac{35}{10}=280\div35=8$

(2) $10\div1.25=\frac{1000}{100}\div\frac{125}{100}=1000\div125=8$

(3)
```
        6
4.5)2 7.0
    2 7 0
        0
```

(4)
```
      3 0
1.3)3 9.0
    3 9 0
        0
```

04 답 풀이 참조

```
      1 5
2.8)4 2.0
    2 8
    1 4 0
    1 4 0
        0
```

05 답 (선 잇기)

```
        6 0 0
0.14)8 4.0 0
     8 4 0 0
           0
```

```
        5
5.6)2 8.0
    2 8 0
        0
```

06 답 >

```
         5 2
0.25)1 3.0 0
     1 2 5
         5 0
         5 0
           0
```

```
        4 5
5.6)2 5 2.0
    2 2 4
      2 8 0
      2 8 0
          0
```

따라서 ○ 안에 알맞은 것은 >입니다.

07 답 ⑤

① $0.8\div12.5=0.064$

② $0.8\div1.25=0.64$

③ $8\div0.125=64$

④ $800\div12.5=64$

⑤ $800\div125=6.4$

$8\div1.25=6.4$이므로 몫이 같은 것은 ⑤입니다.

08 답 13, 14

$42\div3.5=12$

$27\div1.8=15$

따라서 $12<\square<15$이므로 □ 안에 들어갈 수 있는 자연수는 13, 14입니다.

09 답 ㉡, ㉢, ㉠

㉠ $368\div0.16=2300$

㉡ $728\div2.6=280$

㉢ $108\div0.09=1200$

따라서 계산 결과가 작은 것부터 차례대로 기호를 쓰면 ㉡, ㉢, ㉠입니다.

10 답 (1) (위에서부터) 9, 90, 900
(2) (위에서부터) 24, 240, 2400

(1) $72 \div 8 = 9$
$72 \div 0.8 = 90$
$72 \div 0.08 = 900$

(2) $1.92 \div 0.08 = 24$
$19.2 \div 0.08 = 240$
$192 \div 0.08 = 2400$

11 답 630개

(묶을 수 있는 상자 수)$=252 \div 0.4 = 630$(개)
따라서 상자를 630개까지 묶을 수 있습니다.

12 답 4 cm

평행사변형의 밑변을 □cm라고 하면
$\square \times 7.5 = 30$
$\square = 30 \div 7.5 = 4$
따라서 평행사변형의 밑변은 4 cm입니다.

13 답 ㉡

$4 \div 2.5 = 1.6$
$8 \div 3.2 = 2.5$
따라서 나눗셈의 몫이 $2.2 < \square < 2.9$의 □ 안에 들어갈 수 있는 식은 ㉡입니다.

14 답 262.5

어떤 수를 □라고 하면 $\square \times 1.6 = 672$이므로
$\square = 672 \div 1.6 = 420$
따라서 바르게 계산하면 $420 \div 1.6 = 262.5$입니다.

15 답 풀이 참조

60을 분모가 100인 분수로 고치면 $\frac{6000}{100}$입니다.
따라서 바르게 계산하면
$60 \div 0.75 = \frac{6000}{100} \div \frac{75}{100} = 6000 \div 75 = 80$입니다.

16 답 141그루

0.21 km=210 m입니다.
(길 한 쪽의 길이)÷(나무 사이의 간격)
$=210 \div 1.5 = 140$(그루)
따라서 길 한 쪽에 필요한 나무의 수는
$140 + 1 = 141$(그루)입니다.

17 답 7.2 cm

삼각형의 높이를 □cm라고 하면
$7.5 \times \square \div 2 = 27$
$7.5 \times \square = 54$
$\square = 54 \div 7.5 = 7.2$
따라서 삼각형의 높이는 7.2 cm입니다.

18 답 풀이 참조

나눗셈식 390÷□.□□에서 나누는 수가 작을수록 몫이 커집니다.
숫자 1, 5, 6을 한 번씩만 사용하여 만들 수 있는 가장 작은 나누는 수는 1.56입니다.
따라서 몫이 가장 크게 되도록 나눗셈식을 완성하면 $390 \div 1.56$이고, 계산하면 250입니다.

$$
\begin{array}{r}
250 \\
1.56 \overline{)\,390.00} \\
312 \\
\hline
780 \\
780 \\
\hline
0
\end{array}
$$

09 몫의 반올림과 나누어 주고 남는 양

p. 41~43

> 교과서 + 익힘책 유형

01 풀이 참조 **02** (1) 0.73 (2) 4.37
03 풀이 참조 **04** 풀이 참조 **05** <
06 풀이 참조

> 교과서 + 익힘책 응용 유형

07 ㉡, ㉢, ㉠ **08** ㉡ **09** 1
10 풀이 참조 **11** 1.11 L **12** 8개, 0.3컵

> 잘 틀리는 유형

13 0.02 **14** 32.6 **15** 5
16 풀이 참조 **17** 12개 **18** 113.45 km

01 답 풀이 참조

13÷6의 몫을 소수 셋째 자리까지 계산하면 [2.166] 입니다. 13÷6의 몫을 반올림하여 자연수로 나타내면 [2] 이고, 13÷6의 몫을 반올림하여 소수 첫째 자리까지 나타내면 [2.2] 이며, 13÷6의 몫을 반올림하여 소수 둘째 자리까지 나타내면 [2.17] 입니다.

02 답 (1) 0.73 (2) 4.37

(1) 8÷11=0.727……
몫의 소수 셋째 자리가 7이므로 올림합니다.
따라서 몫을 반올림하여 소수 둘째 자리까지 나타내면 0.73입니다.

(2) 13.1÷3=4.366……
몫의 소수 셋째 자리가 6이므로 올림합니다.
따라서 몫을 반올림하여 소수 둘째 자리까지 나타내면 4.37입니다.

03 답 풀이 참조

26.3−5−5−5−5−5=[1.3]
26.3 kg을 5 kg씩 [5] 개의 봉지에 나누어 담으면 [1.3] kg이 남습니다.

04 답 풀이 참조

$$\begin{array}{r} \boxed{4} \\ 4\overline{)17.2} \\ \boxed{16} \\ \hline 1.2 \end{array}$$

05 답 <

17÷7=2.42……이고
몫을 반올림하여 소수 첫째 자리까지 나타낸 수는 2.4입니다.
따라서 ○ 안에 알맞은 것은 <입니다.

06 답 풀이 참조

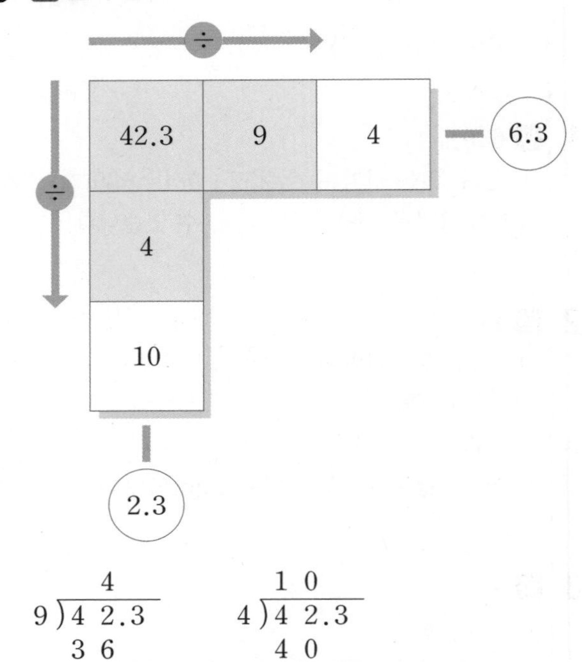

$$\begin{array}{r} 4 \\ 9\overline{)42.3} \\ 36 \\ \hline 6.3 \end{array} \qquad \begin{array}{r} 10 \\ 4\overline{)42.3} \\ 40 \\ \hline 2.3 \end{array}$$

07 답 ㉡, ㉢, ㉠

몫을 반올림하여 소수 둘째 자리까지 나타내면
㉠ 15÷7=2.142…… ⇨ 2.14
㉡ 38.5÷0.9=42.777…… ⇨ 42.78
㉢ 22.4÷0.9=24.888…… ⇨ 24.89
따라서 몫이 큰 것부터 차례대로 기호를 쓰면 ㉡, ㉢, ㉠입니다.

08 답 ㉡

㉠ $$\begin{array}{r} 4 \\ 6\overline{)26.2} \\ 24 \\ \hline 2.2 \end{array}$$ ⇦ 나머지

㉡ $$\begin{array}{r} 3 \\ 9\overline{)31.7} \\ 27 \\ \hline 4.7 \end{array}$$ ⇦ 나머지

㉢ $$\begin{array}{r} 3 \\ 8\overline{)28.5} \\ 24 \\ \hline 4.5 \end{array}$$ ⇦ 나머지

따라서 나머지가 가장 큰 것은 ㉡입니다.

09 답 1

16.3÷9=1.8111……

몫의 소수 둘째 자리부터 숫자 1이 반복됩니다.

따라서 몫의 소수 아홉째 자리 숫자는 1입니다.

10 답 풀이 참조

통의 개수는 자연수이므로 몫을 자연수까지만 구해야 합니다.

따라서 바르게 계산하면

$$\begin{array}{r} 7 \\ 3\overline{)2\ 3.4} \\ 2\ 1 \\ \hline 2.4 \end{array}$$

나누어 담을 때 필요한 통의 개수: 7개

남는 아이스크림의 양: 2.4 kg

11 답 1.11 L

5.53÷5=1.106이므로 반올림하여 소수 둘째 자리까지 나타내면 1.11입니다.

따라서 한 사람이 1.11 L씩 마시면 됩니다.

12 답 8개, 0.3컵

$$\begin{array}{r} 8 \\ 2\overline{)1\ 6.3} \\ 1\ 6 \\ \hline 0.3 \end{array}$$

따라서 만들 수 있는 케이크는 8개이고, 남는 설탕의 양은 0.3컵입니다.

13 답 0.02

39.7÷5.1=7.784……이므로

반올림하여 소수 첫째 자리까지 나타낸 몫은 7.8

반올림하여 소수 둘째 자리까지 나타낸 몫은 7.78

따라서 차는 7.8−7.78=0.02입니다.

14 답 32.6

어떤 수를 □라고 하면

□÷9의 몫이 3, 나머지가 2.3이므로

□=9×3+2.3=29.3

어떤 수가 29.3이므로 바르게 계산하면

29.3÷0.9=32.55……입니다.

따라서 바르게 계산한 값을 몫을 반올림하여 소수 첫째 자리까지 나타내면 32.6입니다.

15 답 5

74.45÷27.5=2.707272……

몫의 소수 셋째 자리부터 7과 2가 반복됩니다.

셋째 자리부터 홀수 번째 자리는 7, 짝수 번째 자리는 2가 오므로 소수 9째 자리 숫자는 7, 소수 10째 자리 숫자는 2입니다.

따라서 몫의 소수 9째 자리 숫자와 소수 10째 자리 숫자의 차는 7−2=5입니다.

16 답 풀이 참조

사람 수는 자연수이므로 몫을 자연수까지만 구해야 합니다.

따라서 바르게 계산하면

$$\begin{array}{r} 5 \\ 4\overline{)2\ 1.6} \\ 2\ 0 \\ \hline 1.6 \end{array}$$

나누어 줄 수 있는 사람 수: 5명

남는 리본의 양: 1.6 m

17 답 12개

$$\begin{array}{r} 1\ 2 \\ 50\overline{)6\ 1\ 2.5} \\ 5\ 0 \\ \hline 1\ 1\ 2.5 \\ 1\ 0\ 0 \\ \hline 1\ 2.5 \end{array}$$

따라서 50 kg인 짐을 12개까지 실을 수 있습니다.

18 답 113.45 km

1시간 동안 달린 평균 거리는

624÷5.5=113.4545……(km)입니다.

따라서 1시간 동안 달린 평균 거리를 반올림하여 소수 둘째 자리까지 나타내면 113.45 km입니다.

p. 44

소수와 합성수

[1] 11의 약수는 1과 11이므로 소수입니다.

[2] 16의 약수는 1, 2, 4, 8, 16이므로 합성수입니다.

[3] 21의 약수는 1, 3, 7, 21이므로 합성수입니다.

[4] 23의 약수는 1, 23이므로 소수입니다.

답 [1] 소수 [2] 합성수 [3] 합성수 [4] 소수

3 ::: 공간과 입체

10 위, 앞, 옆에서 본 모양

p. 47~49

> 교과서 + 익힘책 유형

01 풀이 참조 **02** 나

03 (위에서부터) 나, 가, 다 **04** 7개

> 교과서 + 익힘책 응용 유형

05 풀이 참조 **06** 24 cm **07** 5개

08 풀이 참조 **09** 나

> 잘 틀리는 유형

10 10개 **11** 다 **12** 나

13 가 **14** 10개

01 답 풀이 참조

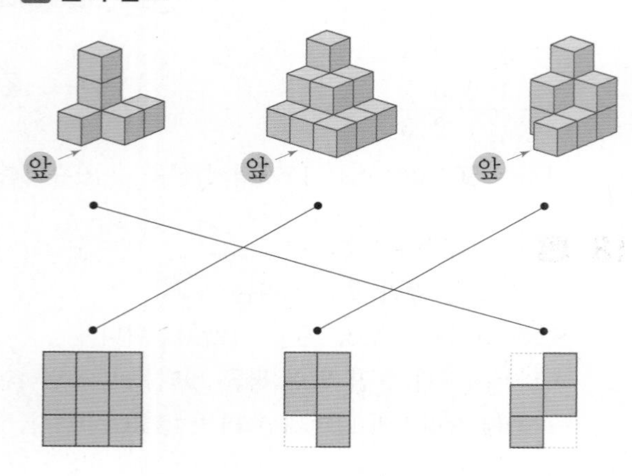

02 답 나

가는 위에서 본 모양이 다음과 같습니다.

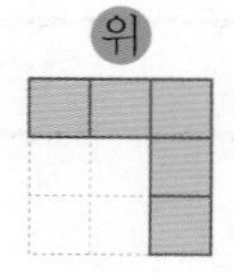

다는 앞에서 본 모양이 다음과 같습니다.

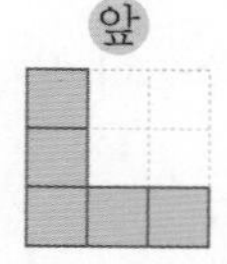

따라서 쌓은 모양으로 가능한 모양은 나입니다.

04 답 7개

1층에 4개, 2층에 3개입니다.

따라서 주어진 모양과 똑같이 쌓는 데 쌓기나무 7개가 필요합니다.

05 답 풀이 참조

옆에서 본 모양을 통해 ◯ 부분은 쌓기나무가 2개이고 나머지 부분은 쌓기나무가 각각 1개입니다.

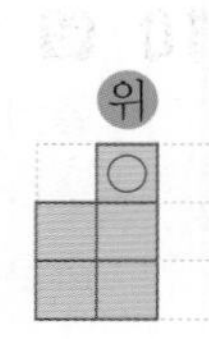

따라서 앞에서 본 보양은 다음과 같습니다.

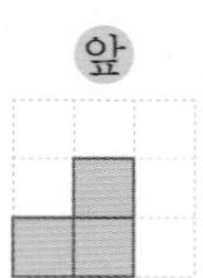

06 답 24 cm

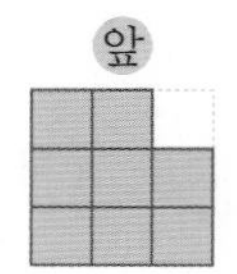

한 모서리의 길이의 12배이므로 앞에서 본 모양의 둘레는 $2\times12=24$(cm)입니다.

07 답 5개

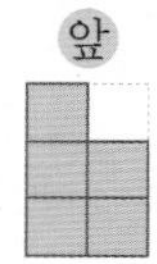

앞에서 보이는 쌓기나무는 5개이고 전체 쌓기나무는 10개입니다.

따라서 앞에서 보았을 때 보이지 않는 쌓기나무는 $10-5=5$(개)입니다.

08 답 풀이 참조

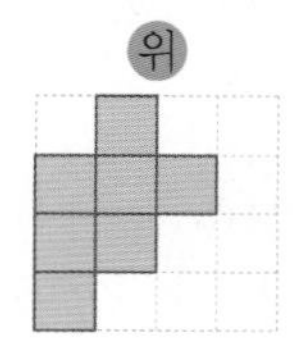

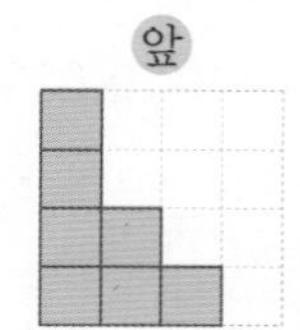

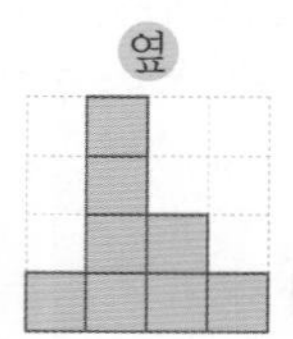

09 답 나

가는 앞에서 본 모양이 다음과 같습니다.

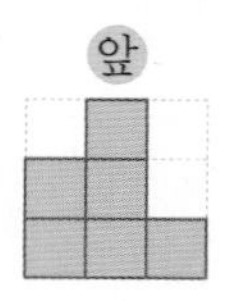

다는 앞에서 본 모양이 다음과 같습니다.

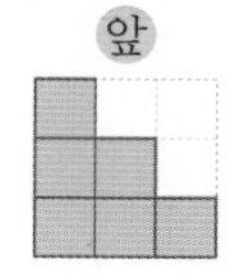

따라서 쌓은 모양으로 가능한 모양은 **나**입니다.

10 답 10개

위에서 본 모양을 통해 1층의 쌓기나무는 5개입니다. 앞에서 본 모양을 통해 ○ 부분은 쌓기나무가 2개, ◇ 부분은 쌓기나무가 1개입니다. 옆에서 본 모양을 통해 △ 부분은 쌓기나무가 3개, ☆ 부분은 쌓기나무가 각각 2개입니다.

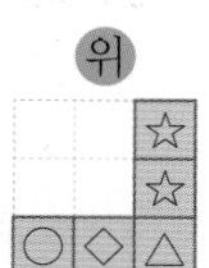

따라서 똑같은 모양으로 쌓는 데 필요한 쌓기나무는 $2+1+3+2+2=10$(개)입니다.

11 답 다

가와 **나**는 옆에서 본 모양이 다음과 같습니다.

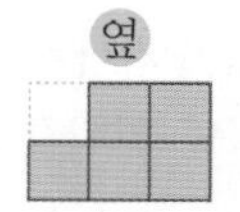

따라서 쌓은 모양으로 가능한 모양은 **다**입니다.

12 답 나

가와 **다**는 옆에서 본 모양이 다음과 같습니다.

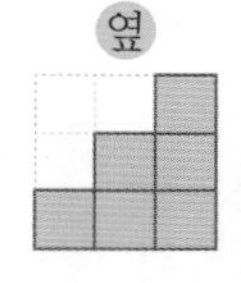

나는 옆에서 본 모양이 다음과 같습니다.

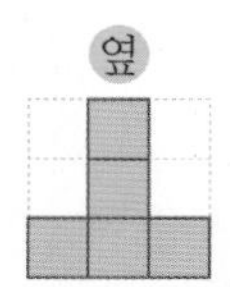

따라서 옆에서 본 모양이 다른 것은 **나**입니다.

13 답 가

가를 넣기 위해서는 쌓기나무 4개가 한 줄로 들어갈 수 있는 구멍이 필요합니다.
따라서 상자에 넣을 수 없는 모양은 **가**입니다.

14 답 10개

위에서 본 모양을 통해 1층의 쌓기나무는 6개입니다.
따라서 1층에는 6개, 2층에는 3개, 3층에는 1개이므로 사용한 쌓기나무는 총 10개입니다.

11 위에서 본 모양에 쓴 수

p. 51~53

> 교과서 + 익힘책 유형

01 풀이 참조 **02** 풀이 참조 **03** 풀이 참조
04 ㉠ 1개, ㉡ 3개 **05** 1개
06 2개 **07** 7개

> 교과서 + 익힘책 응용 유형

08 예진 **09** 풀이 참조
10 3, 3, 3, 1, 2 **11** 7개
12 풀이 참조 **13** 풀이 참조

> 잘 틀리는 유형

14 풀이 참조 **15** 풀이 참조 **16** 풀이 참조
17 풀이 참조 **18** 5개 **19** 2

01 답 풀이 참조

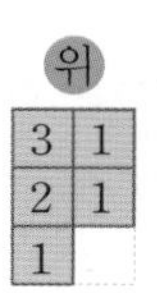

02 답 풀이 참조

앞에서 본 모양은 앞에서 본 방향에서 각 줄의 가장 높은 층의 모양입니다.
따라서 앞에서 보면 3층, 3층, 2층으로 보입니다.

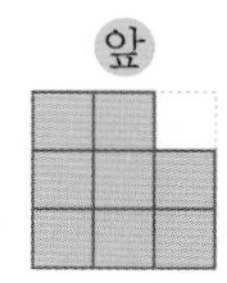

03 답 풀이 참조

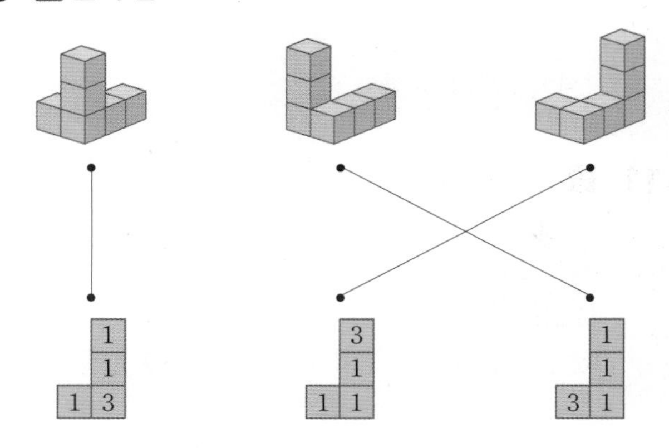

04 답 ㉠ 1개, ㉡ 3개

앞에서 본 모양을 통해 ㉠ 부분은 쌓기나무가 1개, ㉡ 부분은 쌓기나무가 3개입니다.

05 답 1개

옆에서 본 모양을 통해 ㉣ 부분은 쌓기나무가 1개입니다.

06 답 2개

㉣ 부분은 쌓기나무가 1개이므로 앞에서 본 모양을 통해 ㉢ 부분은 쌓기나무가 2개입니다.

07 답 7개

㉠ 1개, ㉡ 3개, ㉢ 2개, ㉣ 1개이므로 똑같은 모양으로 쌓는 데 필요한 쌓기나무는 7개입니다.

08 답 예진

예진이가 사용한 쌓기나무의 개수는

$1+2+3+3+1+4=14$(개)이고,

혜리가 사용한 쌓기나무의 개수는

$1+2+3+2+2+1+1=12$(개)입니다.

따라서 쌓기나무를 더 많이 사용하여 모양을 만든 친구는 예진입니다.

09 답 풀이 참조

쌓기나무 12개로 완성된 모양이므로 빈칸에 알맞은 수는 4입니다. 앞에서 본 방향에서 각 줄의 가장 높은 층은 2층, 4층, 3층이므로 앞에서 본 모양은 다음과 같습니다.

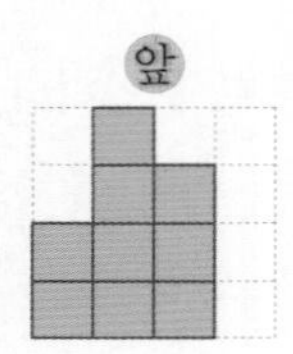

10 답 3, 3, 3, 1, 2

각 자리에 쌓인 쌓기나무의 개수를 세어서 쓰면 다음과 같습니다.

자리	①번	②번	③번	④번	⑤번
쌓기나무의 수(개)	3	3	3	1	2

11 답 7개

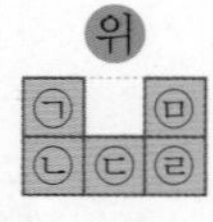

앞에서 본 모양을 통해 ㉠, ㉡, ㉢ 부분은 쌓기나무가 각각 1개, 옆에서 본 모양을 통해 ㉣ 부분은 1개, ㉤ 부분은 3개입니다. 위에서 본 모양의 각 자리에 쌓인 쌓기나무의 개수를 세어서 쓰면 다음과 같습니다.

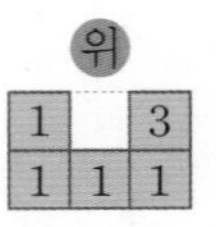

따라서 필요한 쌓기나무는 7개입니다.

12 답 풀이 참조

앞, 옆에서 본 모양은 각 방향에서 각 줄의 가장 높은 층의 모양과 같습니다. 따라서 앞에서 보면 3층, 2층으로 보이고, 옆에서 보면 3층, 1층, 2층으로 보입니다.

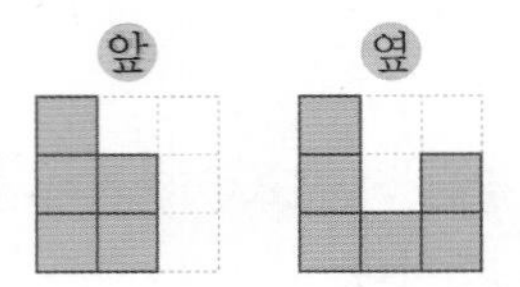

13 답 풀이 참조

위에서 본 모양에 의해 1층에 쌓인 쌓기나무는 6개입니다. 쌓기나무 8개를 사용하므로 2층 이상에 쌓인 쌓기나무는 2개입니다. 1층에 6개의 쌓기나무를 위에서 본 모양과 같이 놓고 나머지 2개의 위치를 이동하면서 위, 앞, 옆에서 본 모양이 서로 같은 두 모양을 만들어 보면 다음과 같습니다.

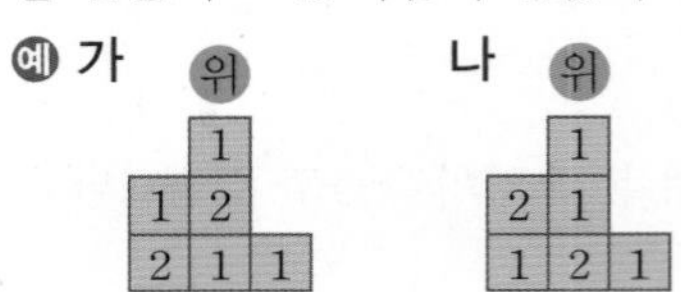

14 답 풀이 참조

앞, 옆에서 본 모양은 각 방향에서 각 줄의 가장 높은 층의 모양과 같습니다. 따라서 앞에서 보면 1층, 3층, 2층, 1층으로 보이고, 옆에서 보면 3층, 2층으로 보입니다.

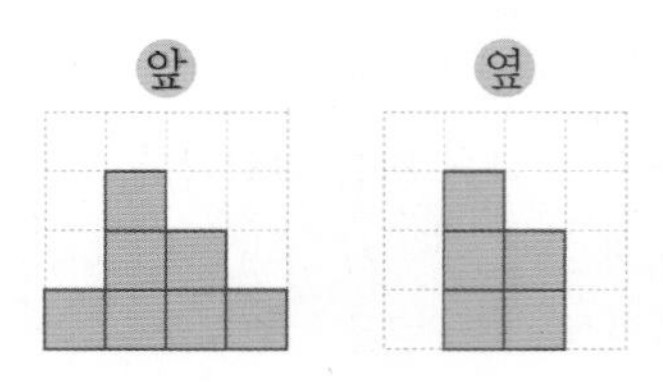

15 답 풀이 참조

위에서 본 모양에 의해 1층에 쌓인 쌓기나무는 7개입니다. 쌓기나무 9개를 사용하므로 2층 이상에 쌓인 쌓기나무는 2개입니다. 1층에 7개의 쌓기나무를 위에서 본 모양과 같이 놓고 나머지 2개의 위치를 이동하면서 위, 앞, 옆에서 본 모양이 서로 같은 두 모양을 만들어 보면 다음과 같습니다.

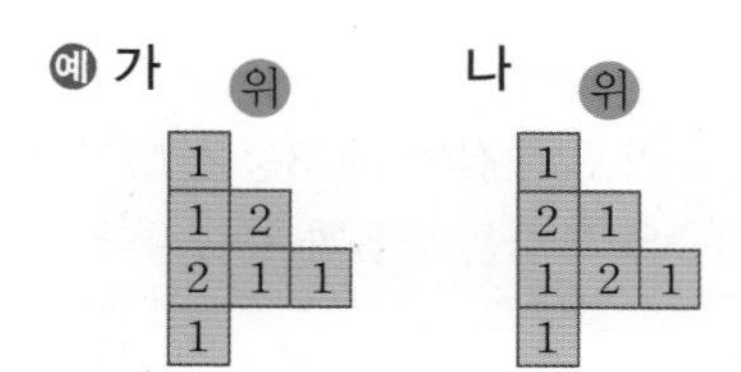

16 답 풀이 참조

위에서 본 모양의 각 자리에 쌓인 쌓기나무의 개수를 세어서 쓰면 오른쪽 그림과 같습니다.

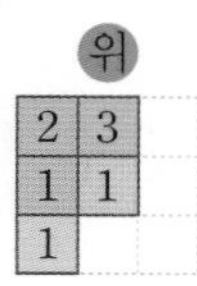

■ 부분이 ㉠, ■ 부분이 ㉡이므로 ㉡에 있는 쌓기나무를 ㉠ 위로 올려서 모양을 완성했을 때, 위에서 본 모양과 각 자리의 쌓기나무의 수를 쓰면 오른쪽 그림과 같습니다.

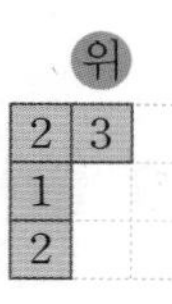

17 답 풀이 참조

각 자리에 쌓인 쌓기나무의 개수를 세어서 쓰면 다음과 같습니다.

자리	①번	②번	③번	④번	⑤번
쌓기나무의 수(개)	2	1	3	1	1

⇨ 필요한 쌓기나무의 수: 8개

18 답 5개

앞에서 본 모양을 통해 ㉠ 부분은 쌓기나무가 2개, 나머지 부분에 쌓기나무가 각각 1개 있습니다.

따라서 똑같은 모양으로 쌓는 데 필요한 쌓기나무는 5개입니다.

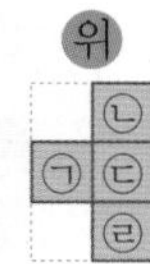

19 답 2

앞, 옆에서 본 모양을 통해 각 자리에 쌓인 쌓기나무의 개수를 쓰면 다음과 같습니다.

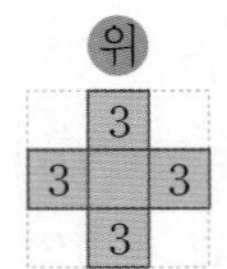

㉠에 쌓인 쌓기나무는 3개이고 13개의 쌓기나무를 사용했으므로 ㉡에 쌓인 쌓기나무는

$13-(3+3+3+3)=1$(개)입니다.

따라서 ㉠－㉡=2입니다.

12 층별로 나타낸 모양

p. 55~57

> 교과서 + 익힘책 유형

01 풀이 참조　**02** 풀이 참조　**03** ㉢
04 ㉡

> 교과서 + 익힘책 응용 유형

05 풀이 참조　**06** 풀이 참조　**07** 풀이 참조
08 풀이 참조

> 잘 틀리는 유형

09 4개　**10** 6가지　**11** 풀이 참조
12 ㉠, ㉢　**13** 풀이 참조

01 답 풀이 참조

1층에는 쌓기나무 5개가 다음과 같은 모양으로 있습니다.

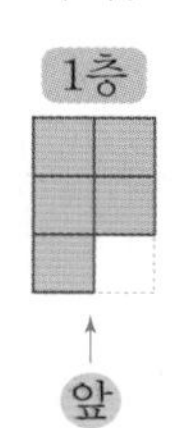

쌓인 모양을 보고 2층에 쌓기나무 2개를 위치에 맞게 그리면 다음과 같습니다.

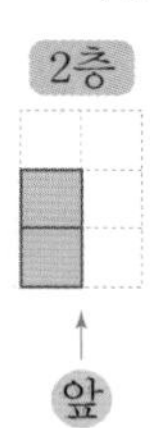

02 답 풀이 참조

쌓인 모양을 보고 2층과 3층에 쌓기나무 위치에 맞게 그리면 다음과 같습니다.

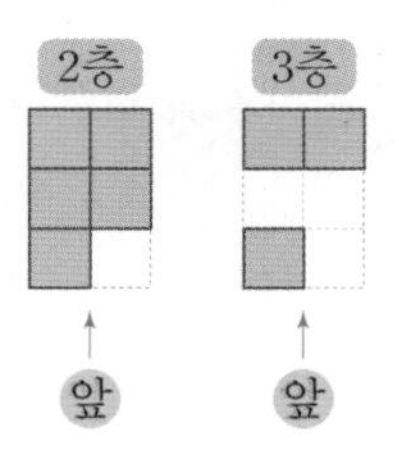

03 답 ㉢

2층 모양과 같이 쌓기나무로 쌓은 모양은 ㉢입니다.

04 답 ㉡

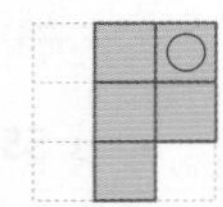

㉡의 ○ 부분은 1층 위에 놓을 수 없습니다.

05 답 풀이 참조

쌓인 모양을 보고 2층과 3층에 쌓기나무 위치에 맞게 그리면 다음과 같습니다.

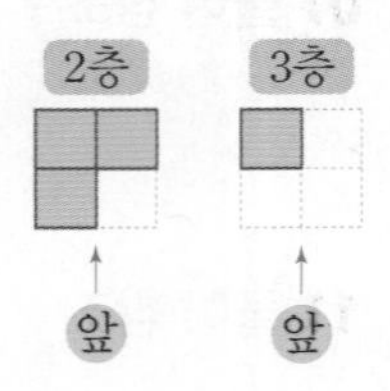

06 답 풀이 참조

위에서 본 모양은 1층의 모양과 같습니다.

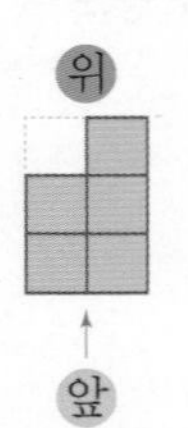

1층에 쌓기나무가 5개, 2층에 쌓기나무가 4개이므로 똑같은 모양으로 쌓는 데 필요한 쌓기나무는 9개입니다.

07 답 풀이 참조

각 자리에 쌓인 쌓기나무의 개수를 세어서 쓰면 다음과 같습니다.

층	1	2	3
쌓기나무의 수(개)	5	4	1

⇨ 필요한 쌓기나무의 수: 10 개

08 답 풀이 참조

각 칸에 쓰여진 수가 3 이상일 때 3층에 쌓기나무가 놓여 있습니다.

따라서 3층의 모양은 다음과 같습니다.

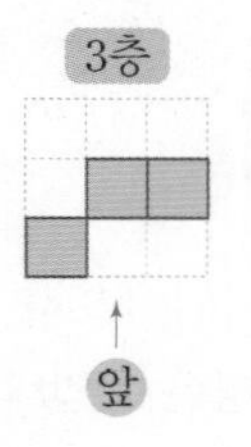

09 답 4개

각 칸에 쓰여진 수가 3 이상일 때 3층에 쌓기나무가 놓여 있으므로 3층의 모양은 다음과 같습니다.

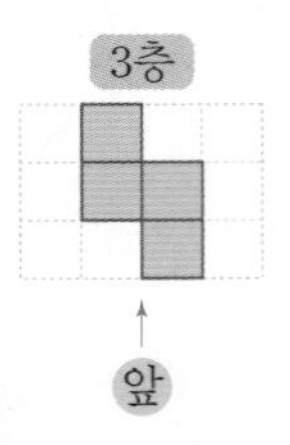

따라서 3층에 쌓은 쌓기나무는 4개 있습니다.

10 답 6가지

3층에 5개의 쌓기나무를 놓을 수 있는 방법은 다음과 같습니다.

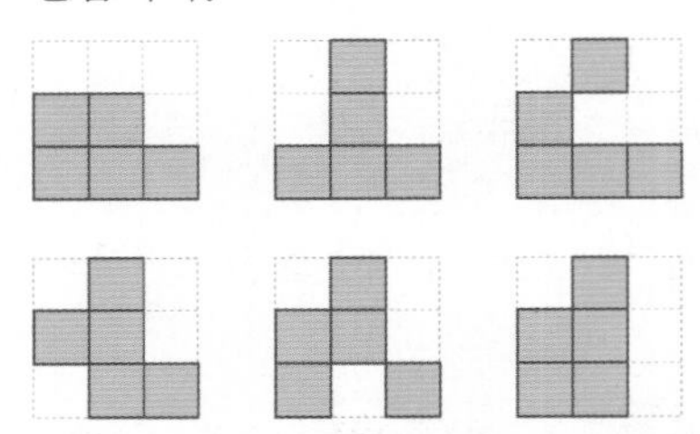

따라서 모두 6가지 모양으로 쌓을 수 있습니다.

11 답 풀이 참조

쌓인 모양을 보고 2층과 3층에 쌓기나무 위치에 맞게 그리면 다음과 같습니다.

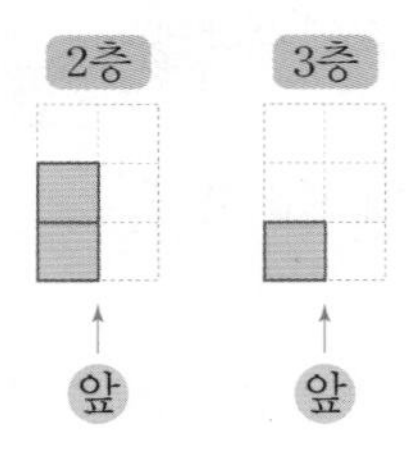

12 답 ㉠, ㉢

2층으로 가능한 모양은 ㉠, ㉢, ㉣입니다.

2층에 ㉠을 놓으면 3층에 ㉢을 놓을 수 있습니다.

2층에 ㉢을 놓으면 3층에 놓을 수 있는 모양이 없습니다. 2층에 ㉣을 놓아도 3층에 놓을 수 있는 모양이 없습니다.

따라서 2층과 3층으로 알맞은 모양을 차례대로 기호를 쓰면 ㉠, ㉢입니다.

13 답 풀이 참조

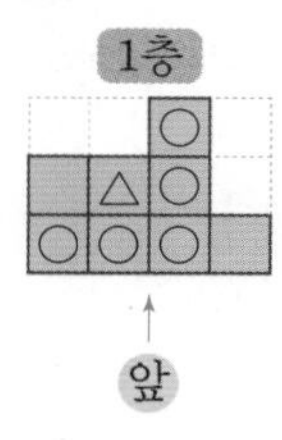

쌓기나무를 층별로 나타낸 모양에서 1층의 △ 부분은 2층까지, ○ 부분은 3층까지 쌓여있습니다.
따라서 앞에서 본 모양은 앞에서 본 방향에서 각 줄마다 가장 높은 층으로 보이므로 3층, 3층, 3층, 1층으로 보입니다.

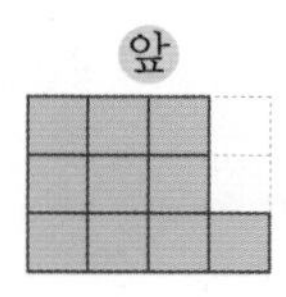

1층에 쌓기나무가 8개, 2층에 쌓기나무가 6개, 3층에 쌓기나무가 5개이므로 똑같은 모양으로 쌓는 데 필요한 쌓기나무는 $8+6+5=19$(개)입니다.

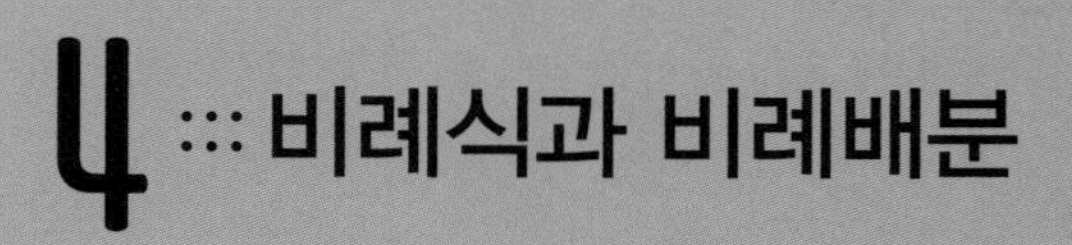

4 ::: 비례식과 비례배분

13 비의 성질

p. 61~63

> 교과서 + 익힘책 유형

01 3, 5 **02** 곱하여도, 나누어도
03 (1) 예 $3:7$ (2) 예 $13:11$
(3) 예 $4:7$ (4) 예 $6:5$
04 풀이 참조 **05** 풀이 참조

> 교과서 + 익힘책 응용 유형

06 예 $3:2$, $18:12$, $27:18$ **07** 12
08 $\frac{5}{13}$ **09** ㉠ **10** $3:2$
11 $2:3$

> 잘 틀리는 유형

12 71 **13** 5 **14** 풀이 참조
15 70 cm **16** ㉠
17 지학 어린이 도서관

01 답 3, 5
비 $3:5$에서 전항은 [3]이고 후항은 [5]입니다.

02 답 곱하여도, 나누어도
비의 전항과 후항에 0이 아닌 같은 수를 [곱하여도] 비율은 같습니다.
비의 전항과 후항에 0이 아닌 같은 수로 [나누어도] 비율은 같습니다.

03 답 (1) 예 $3:7$ (2) 예 $13:11$ (3) 예 $4:7$ (4) 예 $6:5$
(1) $0.3:0.7$의 전항과 후항에 10을 곱하면 $3:7$이 됩니다.
(2) $0.13:0.11$의 전항과 후항에 100을 곱하면 $13:11$이 됩니다.
(3) $\frac{1}{7}:\frac{1}{4}$의 전항과 후항에 분모의 최소공배수인 28을 곱하면 $4:7$이 됩니다.
(4) $\frac{3}{5}:\frac{1}{2}$의 전항과 후항에 분모의 최소공배수인 10을 곱하면 $6:5$가 됩니다.

04 답 풀이 참조

(1) 후항에 3을 곱하였으므로 전항에도 3을 곱하여야 합니다.

$\times \boxed{3}$

$4 : 7 \Rightarrow 12 : \boxed{21}$

$\times 3$

(2) 후항을 6으로 나누었으므로 전항도 6으로 나누어야 합니다.

$\div \boxed{6}$

$30 : 24 \Rightarrow 5 : \boxed{4}$

$\div 6$

(3) 후항에 30을 곱하였으므로 전항에도 30을 곱하여야 합니다.

$\frac{1}{6} : \frac{1}{5} \Rightarrow \boxed{5} : 6$

$\times \boxed{30}$

(4) 전항에 10을 곱하였으므로 후항에도 10을 곱하여야 합니다.

$0.7 : 0.4 \Rightarrow 7 : \boxed{4}$

$\times \boxed{10}$

05 답

6 : 36의 전항과 후항에 3을 곱하면 18 : 108
7 : 5의 전항과 후항에 3을 곱하면 21 : 15

06 답 예 3 : 2, 18 : 12, 27 : 18

전항과 후항에 0이 아닌 같은 수를 곱하거나 나누어도 비율은 같습니다.
따라서 9 : 6에 0이 아닌 같은 수를 곱하거나 나눈 비는 3 : 2, 18 : 12, 27 : 18이 있습니다.

07 답 12

㉠의 후항이 5이므로 전항은 11입니다.
㉡의 전항이 15이므로 후항은 1입니다.
따라서 □에 알맞은 수의 합은 11+1=12입니다.

08 답 $\frac{5}{13}$

비의 후항은 각각 7, 8, 13이고 13>8>7이므로 후항이 가장 큰 비는 5 : 13입니다.
따라서 후항이 가장 큰 비의 비율은 $\frac{5}{13}$ 입니다.

09 답 ㉠

㉠의 가로와 세로의 비 21 : 18의 전항과 후항을 3으로 나누면 7 : 6입니다.
㉡의 가로와 세로의 비 12 : 14의 전항과 후항을 2로 나누면 6 : 7입니다.
㉢의 가로와 세로의 비는 13 : 12입니다.
따라서 가로와 세로의 비가 7 : 6인 직사각형은 ㉠입니다.

10 답 3 : 2

남학생 수는 300−120=180(명)이므로 남학생 수와 여학생 수의 비는 180 : 120입니다.
따라서 남학생 수와 여학생 수의 비를 가장 간단한 자연수의 비로 나타내기 위하여 전항과 후항을 180과 120의 최대공약수인 60으로 나누면 3 : 2입니다.

11 답 2 : 3

유리와 혜수가 1시간 동안 읽은 책의 양을 비로 나타내면 $\frac{2}{9} : \frac{1}{3}$입니다.
따라서 유리와 혜수가 1시간 동안 읽은 책의 양을 가장 간단한 자연수의 비로 나타내기 위하여 전항과 후항에 분모의 최소공배수인 9를 곱하면 2 : 3입니다.

12 답 71

$2.5 : 4\frac{3}{5}$의 소수를 분수로, 대분수를 가분수로 고치면 $\frac{25}{10} : \frac{23}{5}$입니다.
전항과 후항에 분모의 최소공배수인 10을 곱하면 25 : 46입니다.
따라서 ■=25, ▲=46이므로 ■와 ▲의 합은 25+46=71입니다.

13 답 5

$\frac{\square}{8} : \frac{7}{12}$의 전항과 후항에 분모의 최소공배수인 24를 곱하면 $\left(\frac{\square}{8}\times 24\right) : \left(\frac{7}{12}\times 24\right)$

$\frac{\square}{8}\times 24=15$, $\square\times 3=15$, $\square=5$

따라서 □ 안에 알맞은 수는 5입니다.

14 답 **풀이 참조**

선호가 만든 꿀물의 꿀과 물의 양의 비는 $0.4 : 0.9$이고 전항과 후항에 10을 곱하면 $4 : 9$입니다.

혜지가 만든 꿀물의 꿀과 물의 양의 비는 $\frac{1}{9} : \frac{1}{4}$이고 전항과 후항에 36을 곱하면 $4 : 9$입니다.

따라서 두 비의 비율이 같으므로 두 꿀물의 진하기는 같습니다.

15 답 70 cm

가로와 세로의 비인 $5 : 7$의 후항에 14를 곱하면 98이므로 전항에도 14를 곱하여야 합니다.

따라서 직사각형의 가로는 $5 \times 14 = 70$(cm)입니다.

16 답 ㉠

㉠ $117 : 108$의 전항과 후항을 9로 나누면 $13 : 12$
㉡ $81 : 63$의 전항과 후항을 9로 나누면 $9 : 7$
㉢ $108 : 84$의 전항과 후항을 12로 나누면 $9 : 7$
㉣ $90 : 70$의 전항과 후항을 10으로 나누면 $9 : 7$

따라서 가장 간단한 자연수의 비로 나타냈을 때 비율이 다른 비는 ㉠입니다.

17 답 **지학 어린이 도서관**

풍산 어린이 도서관의 동화책 수와 전체 책 수의 비는 $240 : 400$이고 가장 간단한 자연수의 비로 나타내면 $3 : 5$입니다.

지학 어린이 도서관의 동화책 수와 전체 책 수의 비는 $350 : 500$이고 가장 간단한 자연수의 비로 나타내면 $7 : 10$입니다.

$3 : 5$의 전항과 후항에 2를 곱하면 $6 : 10$이고
전항인 6은 $7 : 10$의 전항보다 작습니다.

따라서 동화책의 비율이 더 많은 도서관은 지학 어린이 도서관입니다.

14 비례식

p. 65~67

> 교과서 + 익힘책 유형

01 비율, 비례식
02 외항: 1, 15, 내항: 5, 3
03 ㉡ **04** ㉢ **05** 3
06 $3 : 2 = 6 : 4$또는 $6 : 4 = 3 : 2$

> 교과서 + 익힘책 응용 유형

07 10
08 $6 : 7 = 24 : 28$ 또는 $24 : 28 = 6 : 7$
09 $8 : 5 = 24 : 15$, $8 : 24 = 5 : 15$
$15 : 5 = 24 : 8$, $15 : 24 = 5 : 8$
10 ㉠, ㉢, ㉡, ㉣ **11** 32
12 28

> 잘 틀리는 유형

13 ㉣, ㉡, ㉢, ㉠
14 $3 : 4 = 15 : 20$, $3 : 15 = 4 : 20$
$20 : 4 = 15 : 3$, $20 : 15 = 4 : 3$
15 준기
16 $20 : 3 = 60 : 9$ 또는 $60 : 9 = 20 : 3$
17 (1) $3 : 7 = 12 : 28$ 또는 $12 : 28 = 3 : 7$
(2) $5 : 9 = 35 : 63$ 또는 $35 : 63 = 5 : 9$
18 $5 : 7 = 15 : 21$

01 답 **비율, 비례식**

[비율]이 같은 두 비를 기호 '='를 사용하여 $4 : 5 = 8 : 10$과 같이 나타낼 수 있으며 이와 같은 식을 [비례식]이라고 합니다.

03 답 ㉡

$2 : 4$의 비율은 $\frac{2}{4}\left(=\frac{1}{2}\right)$입니다.

각 비를 비율로 나타내면

㉠ $\frac{8}{6}\left(=\frac{4}{3}\right)$, ㉡ $\frac{4}{8}\left(=\frac{1}{2}\right)$, ㉢ $\frac{6}{10}\left(=\frac{3}{5}\right)$

따라서 □ 안에 알맞은 비는 ㉡입니다.

04 답 ㉢

비례식은 비율이 같은 두 비를 등호를 사용하여 나타낸 식입니다.

따라서 비례식은 ㉢입니다.

05 답 3

15 : 35=3 : 7에서 내항은 35, 3이고, 전항은 15, 3입니다. 따라서 내항도 되고 전항도 되는 수는 3입니다.

06 답 3 : 2=6 : 4 **또는** 6 : 4=3 : 2

각 비를 비율로 나타내면

$\frac{3}{2}$, $\frac{5}{6}$, $\frac{7}{4}$, $\frac{6}{4}\left(=\frac{3}{2}\right)$이므로

비율이 같은 두 비를 비례식으로 나타내면

3 : 2=6 : 4 또는 6 : 4=3 : 2입니다.

07 답 10

10 : 12=5 : 6에서 외항은 10, 6이고 전항은 10, 5입니다. 따라서 외항도 되고 전항도 되는 수는 10입니다.

09 답 8 : 5=24 : 15, 8 : 24=5 : 15

15 : 5=24 : 8, 15 : 24=5 : 8

◆ : ▲=▲ : ◆에서 ◆는 외항, ▲는 내항입니다.

따라서 만들 수 있는 비례식은 모두

8 : 5=24 : 15, 8 : 24=5 : 15,

15 : 5=24 : 8, 15 : 24=5 : 8입니다.

10 답 ㉠, ㉢, ㉡, ㉣

㉠ 1 : 5의 전항과 후항에 2를 곱하면 2 : 10

□=10

㉡ 2 : 7의 전항과 후항에 3을 곱하면 6 : 21

□=6

㉢ 9 : 24의 전항과 후항을 3으로 나누면 3 : 8

□=8

㉣ 36 : 81의 전항과 후항을 9로 나누면 4 : 9

□=4

따라서 □ 안에 알맞은 수가 큰 것부터 차례대로 기호를 쓰면 ㉠, ㉢, ㉡, ㉣입니다.

11 답 32

비율 $\frac{3}{4}$을 비로 나타내면 3 : 4입니다.

전항과 후항에 3을 곱하면 9 : 12이고,

전항과 후항에 5를 곱하면 15 : 20입니다.

따라서 □ 안에 알맞은 수의 합은

12+20=32입니다.

12 답 28

8×9=72이므로 ㉠=5×9=45

9×3=27이므로 ㉡×3=51, ㉡=17

따라서 ㉠과 ㉡의 차는 45−17=28입니다.

13 답 ㉣, ㉡, ㉢, ㉠

㉠ 후항에 3을 곱했으므로 □=66×3=198

㉡ 전항에 4를 곱했으므로 □×4=60, □=15

㉢ 후항에 5를 곱했으므로 □×5=150, □=30

㉣ 후항을 8로 나누었으므로 □=72÷8=9

따라서 □ 안에 알맞은 수가 작은 것부터 차례대로 기호를 쓰면 ㉣, ㉡, ㉢, ㉠입니다.

14 답 3 : 4=15 : 20, 3 : 15=4 : 20

20 : 4=15 : 3, 20 : 15=4 : 3

◆ : ▲=▲ : ◆에서 ◆는 외항, ▲는 내항입니다.

따라서 만들 수 있는 비례식은은 모두

3 : 4=15 : 20, 3 : 15=4 : 20,

20 : 4=15 : 3, 20 : 15=4 : 3입니다.

15 답 **준기**

2 : 9=6 : 27의 내항은 9와 6입니다.

따라서 잘못 말한 친구는 준기입니다.

16 답 20 : 3=60 : 9 **또는** 60 : 9=20 : 3

각 비를 비율로 나타내면

$\frac{20}{3}$, $\frac{10}{5}(=2)$, $\frac{60}{9}\left(=\frac{20}{3}\right)$, $\frac{15}{5}(=3)$

이므로 비율이 같은 두 비를 비례식으로 나타내면

20 : 3=60 : 9 또는 60 : 9=20 : 3입니다.

18 답 5 : 7=15 : 21

비율 $\frac{5}{7}$를 비로 나타내면 5 : 7이고

5 : □=□ : □이므로 내항은 7입니다.

내항의 곱이 105이므로 다른 내항은 15입니다.

전항에 3을 곱했으므로 후항에도 3을 곱해야 비례식이 되므로 5 : 7=15 : 21입니다.

15 비례식의 성질

p. 69~71

> 교과서 + 익힘책 유형

01 풀이 참조 **02** ㉢

03 (1) 16 (2) 16 (3) 5 (4) 2

04 80 **05** 150 **06** 90 g

> 교과서 + 익힘책 응용 유형

07 ㉠=36, ㉡=20

08 (1) 27 (2) $\frac{1}{3}$ (3) 10

09 민아 **10** 풀이 참조 **11** 150 g

12 10800원

> 잘 틀리는 유형

13 3시간 **14** 혁준

15 예 6 : 2=9 : 3 **16** 48

17 풀이 참조

01 답 풀이 참조

외항의 곱은 비례식의 바깥쪽에 있는 두 수의 곱이고, 내항의 곱은 비례식의 안쪽에 있는 두 수의 곱입니다.

5 : 6=30 : 36	
외항의 곱	5 × 36 = 180
내항의 곱	6 × 30 = 180

비례식에서 외항의 곱과 내항의 곱은 갈습니다.

02 답 ㉢

㉠과 ㉡은 외항의 곱과 내항의 곱이 다르기 때문에 비례식이 아닙니다.

따라서 비례식이 옳은 것은 ㉢입니다.

03 답 (1) 16 (2) 16 (3) 5 (4) 2

(1) 42 : □=21 : 8

비례식의 성질을 이용하면

42×8=□×21, □×21=336, □=16

따라서 □ 안에 알맞은 수는 16입니다.

(2) 0.8 : 0.9=□ : 18

비례식의 성질을 이용하면

0.8×18=0.9×□, 0.9×□=14.4, □=16

따라서 □ 안에 알맞은 수는 16입니다.

(3) 12 : 15=4 : □

비례식의 성질을 이용하면

12×□=15×4, 12×□=60, □=5

따라서 □ 안에 알맞은 수는 5입니다.

(4) □ : 11=10 : 55

비례식의 성질을 이용하면

□×55=11×10, □×55=110, □=2

따라서 □ 안에 알맞은 수는 2입니다.

04 답 80

16 : 20=4 : □

비례식의 성질을 이용하면 16×□=20×4입니다.

따라서 16×□=80입니다.

05 답 150

바나나의 양을 ★g이라 하고 비례식을 세우면

5 : 3= 150 : ★

06 답 90 g

비례식의 성질을 이용하면

5×★=3×150, 5×★=450, ★=90입니다.

따라서 딸기를 150 g 넣을 때 바나나는 90 g을 넣어야 합니다.

07 답 ㉠=36, ㉡=20

비례식의 성질을 이용하면 외항의 곱이 180이므로 내항의 곱도 180입니다. 9×㉡=5×㉠=180

따라서 ㉠=36, ㉡=20입니다.

08 답 (1) 27 (2) $\frac{1}{3}$ (3) 10

(1) 13.5 : 4=□ : 8

비례식의 성질을 이용하면

13.5×8=4×□, 4×□=108, □=27

따라서 □ 안에 알맞은 수는 27입니다.

(2) $\frac{5}{9}$: □=5 : 3

비례식의 성질을 이용하면

$\frac{5}{9}$×3=□×5, □×5=$\frac{5}{3}$, □=$\frac{1}{3}$

따라서 □ 안에 알맞은 수는 $\frac{5}{3}$입니다.

(3) □ : 0.4=25 : 1

비례식의 성질을 이용하면

□×1=0.4×25, □=10

따라서 □ 안에 알맞은 수는 10입니다.

09 답 민아

아이스크림을 만드는 데 걸리는 시간을 $\square$분이라고 하고 비례식을 세우면 $8 : 20 = \square : 60$입니다.
비례식의 성질을 이용하면 $8 \times 60 = 20 \times \square$
$20 \times \square = 480$, $\square = 24$이므로
아이스크림 60개를 만드는 데 24분이 걸립니다.
따라서 잘못 설명한 친구는 민아입니다.

10 답

$\square : 11 = 16 : \square$의 내항의 곱은 176
$8 : \square = \square : 22$의 외항의 곱은 176
$3 : \square = \square : 80$의 외항의 곱은 240
$\square : 16 = 15 : \square$의 내항의 곱은 240
$17 : \square = \square : 60$의 외항의 곱은 1020
$\square : 20 = 51 : \square$의 내항의 곱은 1020

11 답 150 g

보리의 양을 $\square$g이라고 하고 비례식을 세우면
$8 : 3 = 400 : \square$입니다.
비례식의 성질을 이용하면
$8 \times \square = 3 \times 400$, $\square = 150$입니다.
따라서 쌀을 400 g 넣으면 보리는 150 g을 넣어야 합니다.

12 답 10800원

색연필 9자루의 가격을 $\square$원이라고 하고 비례식을 세우면 $3 : 3600 = 9 : \square$입니다.
비례식의 성질을 이용하면
$3 \times \square = 3600 \times 9$, $\square = 10800$입니다.
따라서 색연필 9자루는 10800원입니다.

13 답 3시간

같은 일에 대해서 초보자가 4시간 동안 일한 만큼 숙련자가 일할 때 걸리는 시간을 $\square$시간이라고 하고 비례식을 세우면 $8 : 6 = 4 : \square$입니다.
비례식의 성질을 이용하면
$8 \times \square = 6 \times 4$, $\square = 3$입니다.
따라서 같은 일을 초보자가 4시간 동안 일할 때 숙련자는 3시간 일해야 합니다.

14 답 혁준

만들 피자의 양이 2배로 늘어났기 때문에 필요한 토마토의 양도 2배로 늘어나야 합니다.
따라서 잘못 말한 친구는 혁준입니다.

15 답 예 $6 : 2 = 9 : 3$

두 수의 곱이 같은 카드를 찾아서 외항과 내항에 각각 놓아 비례식을 만들 수 있습니다.
$6 \times 3 = 2 \times 9$이므로 비례식 $6 : 2 = 9 : 3$을 만들 수 있습니다.

16 답 48

비례식의 성질을 이용하면 ㉠$\times$㉡$= 6 \times \square$
㉠$\times$㉡이 300보다 작은 8의 배수이므로
$6 \times \square$는 6과 8의 공배수입니다.
6과 8의 공배수 중에서 300보다 작은 가장 큰 공배수는 288입니다.
따라서 $6 \times \square = 288$이므로 $\square$ 안에 들어갈 수 있는 가장 큰 자연수는 48입니다.

17 답 풀이 참조

[방법 1] 비의 성질 이용
화단의 가로가 210 cm일 때 세로를 $\square$cm라고 하고 비례식을 세우면 $7 : 3 = 210 : \square$입니다.
비의 성질을 이용하면 전항에 30을 곱했으므로 후항에도 똑같이 30을 곱하면 $\square = 3 \times 30 = 90$입니다.
따라서 화단의 세로는 90 cm입니다.
[방법 2] 비례식의 성질 이용
화단의 가로가 210 cm일 때 세로를 $\square$cm라고 하고 비례식을 세우면 $7 : 3 = 210 : \square$입니다.
비례식의 성질을 이용하면 $7 \times \square = 3 \times 210$이므로
$\square = 90$입니다.
따라서 화단의 세로는 90 cm입니다.

16 비례배분

p. 73~75

> 교과서 + 익힘책 유형

01 풀이 참조 **02** 승지: $\frac{1}{4}$, 유리: $\frac{3}{4}$

03 승지: 3개, 유리: 9개 **04** 풀이 참조

05 (1) 6, 8 (2) 12, 15 (3) 12, 28 (4) 30, 12

06 준서: 600원, 동생: 400원

> 교과서 + 익힘책 응용 유형

07 행복 **08** 풀이 참조 **09** 9시간

10 정원 **11** 8000원 **12** 혜나, 8자루

> 잘 틀리는 유형

13 72개 **14** 풀이 참조 **15** $\frac{42}{66}$

16 360 cm^2 **17** 풀이 참조 **18** 5 : 7

01 답 풀이 참조

진아: 8개 정훈: 12개

초콜릿 20개를 2+3=5로 나눈 것 중에 진아가 2를 가지고 정훈이가 3을 가집니다.
따라서 진아와 정훈이는 초콜릿을 각각
$20\times\frac{2}{5}=8$(개), $20\times\frac{3}{5}=12$(개)를 가집니다.

02 답 승지: $\frac{1}{4}$, 유리: $\frac{3}{4}$

전체를 1+3=4로 나눈 것 중에 승지는 1을 가지고 유리는 3을 가집니다.
따라서 승지와 유리가 가지는 구슬은 각각 전체의
$\frac{1}{1+3}=\frac{1}{4}$, $\frac{3}{1+3}=\frac{3}{4}$입니다.

03 답 승지: 3개, 유리: 9개

승지와 유리가 가지게 될 구슬은 각각 전체의 $\frac{1}{4}$, $\frac{3}{4}$입니다.
따라서 승지와 유리가 가지는 구슬은 각각
$12\times\frac{1}{4}=3$(개), $12\times\frac{3}{4}=9$(개)입니다.

04 답 풀이 참조

8을 1 : 3으로 나누면

$$8\times\frac{3}{\boxed{1}+\boxed{3}}=8\times\frac{\boxed{1}}{\boxed{4}}=\boxed{2}$$

$$8\times\frac{3}{\boxed{1}+\boxed{3}}=8\times\frac{\boxed{3}}{\boxed{4}}=\boxed{6}$$

05 답 (1) 6, 8 (2) 12, 15 (3) 12, 28 (4) 30, 12

(1) 14를 3 : 4로 나누면
$14\times\frac{3}{7}=6$, $14\times\frac{4}{7}=8$ ⇨ [6, 8]

(2) 27을 4 : 5로 나누면
$27\times\frac{4}{9}=12$, $27\times\frac{5}{9}=15$ ⇨ [12, 15]

(3) 40을 3 : 7로 나누면
$40\times\frac{3}{10}=12$, $40\times\frac{7}{10}=28$ ⇨ [12, 28]

(4) 42를 5 : 2로 나누면
$42\times\frac{5}{7}=30$, $42\times\frac{2}{7}=12$ ⇨ [30, 12]

06 답 준서: 600원, 동생: 400원

전체를 3+2=5로 나눈 것의 3을 준서가 가지고 2를 동생이 가지므로 각각 $\frac{3}{5}$, $\frac{2}{5}$입니다.
따라서 준서가 갖게 되는 용돈은 $1000\times\frac{3}{5}=600$(원), 동생이 갖게 되는 용돈은 $1000\times\frac{2}{5}=400$(원)입니다.

07 답 행복

$20\times\frac{2}{10}=4$(ㅎ), $20\times\frac{8}{10}=16$(ㄱ)
$36\times\frac{2}{9}=8$(ㅇ), $36\times\frac{7}{9}=28$(ㅂ)
$44\times\frac{6}{11}=24$(ㅐ), $44\times\frac{5}{11}=20$(ㅗ)
따라서 낱말을 완성하면 행복입니다.

08 답 풀이 참조

	가	나
분수	$\frac{2}{5}$	$\frac{3}{5}$
딸기의 수(개)	180	270

딸기 450개를 2 : 3으로 나누면 각각 $\frac{2}{5}$, $\frac{3}{5}$입니다.
따라서 가, 나에 각각 $450\times\frac{2}{5}=180$(개), $450\times\frac{3}{5}=270$(개)를 담습니다.

09 답 9시간

하루는 24시간입니다.

낮과 밤의 길이의 비가 5 : 3이므로 밤은 전체의 $\frac{3}{8}$입니다.

따라서 밤은 $24\times\frac{3}{8}=9$(시간)입니다.

10 답 정원

밀가루 720 g을 3 : 6으로 나누면 각각 $\frac{3}{9}$, $\frac{6}{9}$입니다.

식빵과 쿠키를 만드는 데 사용한 밀가루는 각각

$720\times\frac{3}{9}=240$(g), $720\times\frac{6}{9}=480$(g)입니다.

따라서 잘못 설명한 친구는 정원입니다.

11 답 8000원

14000원을 언니와 혜정이가 4 : 3으로 나누면 각각 $\frac{4}{7}$, $\frac{3}{7}$입니다.

따라서 언니가 갖게 되는 용돈은

$14000\times\frac{4}{7}=8000$(원)입니다.

12 답 혜나, 8자루

연필 48자루를 5 : 7로 나누면 각각 $\frac{5}{12}$, $\frac{7}{12}$입니다.

기준이는 $48\times\frac{5}{12}=20$(자루),

혜나는 $48\times\frac{7}{12}=28$(자루)의 연필을 가졌습니다.

따라서 혜나가 $28-20=8$(자루) 더 많이 가졌습니다.

13 답 72개

나누기 전의 초콜릿의 수를 □개라고 하면

$\square\times\frac{3}{8}=27$, $\square=27\times\frac{8}{3}=72$

따라서 나누어 가지기 전의 초콜릿은 모두 72개입니다.

14 답 풀이 참조

[비례배분]

(가로)+(세로)=$64\div2=32$(cm)이므로

32를 2 : 6으로 나누면

가로는 $32\times\frac{2}{8}=8$(cm), 세로는 $32\times\frac{6}{8}=24$(cm)입니다.

따라서 직사각형의 세로는 24 cm입니다.

[비례식의 성질 이용]

(가로)+(세로)=$64\div2=32$(cm)입니다.

세로를 □cm라고 하면 가로는 (32−□)cm이고

비례식을 세우면 2 : 6=(32−□) : □입니다.

비례식의 성질을 이용하면

$2\times\square=6\times(32-\square)$, $\square=24$

따라서 직사각형의 세로는 24 cm입니다.

15 답 $\frac{42}{66}$

(분자) : (분모)가 7 : 11이므로

분자는 $108\times\frac{7}{18}=42$,

분모는 $108\times\frac{11}{18}=66$입니다.

따라서 조건을 만족하는 분수는 $\frac{42}{66}$입니다.

16 답 360 cm^2

가로는 $42\times\frac{2}{7}=12$(cm), 세로는 $42\times\frac{5}{7}=30$(cm)입니다.

따라서 직사각형의 넓이는 $12\times30=360$(cm^2)입니다.

17 답 풀이 참조

	할아버지	삼촌
분수	$\frac{5}{8}$	$\frac{3}{8}$
옥수수의 수(개)	35	21

0.5 : 0.3=5 : 3이므로 옥수수 56개를 0.5 : 0.3으로 나누어 드리면 각각 $\frac{5}{8}$, $\frac{3}{8}$입니다.

따라서 할아버지와 삼촌께 나누어 드리는 옥수수는

각각 $56\times\frac{5}{8}=35$(개), $56\times\frac{3}{8}=21$(개)입니다.

18 답 5 : 7

영미가 가진 색종이의 수는 전체 24장 중 10장이므로

$\frac{10}{24}=\frac{5}{12}$

서진이가 가진 색종이의 수는 전체 24장 중 14장이므로 $\frac{14}{24}=\frac{7}{12}$

따라서 (영미) : (서진)=5 : 7입니다.

5 ::: 원의 넓이

17 원주와 원주율

p. 79~81

> 교과서 + 익힘책 유형

01 원주, 원주율 **02** 풀이 참조
03 ○, ○, ×
04 (왼쪽에서부터) 3.1, 3.14
05 (왼쪽에서부터) 3.1, 3.14 **06** 풀이 참조

> 교과서 + 익힘책 응용 유형

07 37.68 cm **08** ㉡, ㉢, ㉠ **09** 지은
10 17 cm **11** = **12** 251.2 m

> 잘 틀리는 유형

13 원준 **14** 지민, 5.2 cm
15 ㉡, ㉢ **16** 지학마을 **17** 16 cm
18 13.5 cm

01 답 **원주, 원주율**
원의 둘레를 원주라고 합니다.
또한 원의 지름에 대한 원주의 비를 원주율이라고 합니다.

02 답 **풀이 참조**
원주는 원의 둘레이므로 원의 둘레를 따라 그리고, 반지름은 원의 중심에서 원 위의 어느 한 점을 이은 선분을 그립니다.

03 답 ○, ○, ×

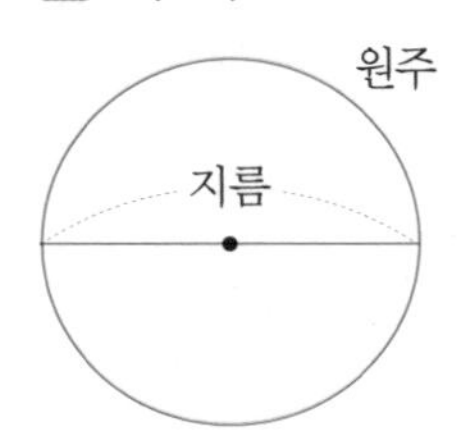

빨간색으로 나타낸 것은 원의 둘레입니다.
파란색으로 나타낸 것은 원의 지름입니다.
원주는 원의 중심을 지나지 않습니다.

04 답 **(왼쪽에서부터)** 3.1, 3.14
원주는 18.85 cm이고 지름은 6 cm이므로
(원주)÷(지름)=3.14166…… 입니다.

소수 첫째 자리	소수 둘째 자리
3.1	3.14

05 답 **(왼쪽에서부터)** 3.1, 3.14
원주는 31.416 cm이고 지름은 10 cm이므로
(원주)÷(지름)=3.1416입니다.

소수 첫째 자리	소수 둘째 자리
3.1	3.14

06 답 **풀이 참조**
원의 크기와 관계없이 지름에 대한 원주의 비율은
(일정합니다, 일정하지 않습니다).

07 답 37.68 cm
(원주)=(지름)×(원주율)이므로
큰 원의 원주는 $7\times3.14=21.98$(cm)이고
작은 원의 원주는 $5\times3.14=15.7$(cm)입니다.
따라서 원주의 합은 $21.98+15.7=37.68$(cm)입니다.

08 답 ㉡, ㉢, ㉠
㉠ 반지름이 9 cm인 원
⇨ (지름)$=9\times2=18$(cm)
㉡ 원주가 37.68 cm인 원
⇨ (지름)$=37.68\div3.14=12$(cm)
㉢ 원주가 43.96 cm인 원
⇨ (지름)$=43.96\div3.14=14$(cm)
따라서 원의 지름이 작은 원부터 차례대로 기호를 쓰면 ㉡, ㉢, ㉠입니다.

09 답 **지은**
원주는 원의 둘레이므로 지름과 같지 않습니다. 원주는 (지름)×(원주율)이므로 지름이 커지면 원주도 커지고, 원주가 커지면 지름도 커집니다.
따라서 원주에 대해 바르게 설명한 친구는 지은입니다.

10 답 17 cm

만들어진 원의 원주는 53.38 cm입니다.
따라서 만들어진 원의 지름은
$53.38 \div 3.14 = 17$(cm)입니다.

11 답 =

원주율은 (원주)÷(지름)이므로
작은 원의 원주율은 $37.2 \div 12 = 3.1$이고
큰 원의 원주율은 $55.8 \div 18 = 3.1$입니다.
따라서 ○ 안에 알맞는 것은 =입니다.

12 답 251.2 m

지름이 80 cm인 바퀴 자가 한 바퀴 돈 거리는
$80 \times 3.14 = 251.2$(cm)이므로 바퀴 자가 100바퀴 돈 거리는 $251.2 \times 100 = 25120$(cm)입니다.
따라서 집에서 버스 정류장까지의 거리는 251.2 m입니다.

13 답 원준

원주율은 (원주)÷(지름)으로 구할 수 있습니다.
따라서 원주율에 대해 잘못 설명한 친구는 원준입니다.

14 답 지민, 5.2 cm

민주의 자전거 바퀴의 둘레는 $25 \times 3.14 = 78.5$(cm)이고 지민이의 자전거 바퀴의 둘레는 83.7 cm입니다.
따라서 지민이의 자전거 바퀴의 둘레가
$83.7 - 78.5 = 5.2$(cm) 더 깁니다.

15 답 ㉡, ㉢

모자의 둘레가 지윤이의 머리 둘레보다 커야 합니다.
㉠ 반지름이 8 cm인 모자
⇨ 모자의 둘레: $16 \times 3.1 = 49.6$(cm)
㉡ 지름이 19 cm인 모자
⇨ 모자의 둘레: $19 \times 3.1 = 58.9$(cm)
㉢ 원주가 57.3 cm인 모자
⇨ 모자의 둘레: 57.3 cm
지윤이의 머리 둘레가 약 55 cm이므로 지윤이의 머리가 들어갈 수 있는 모자는 ㉡, ㉢입니다.

16 답 지학마을

풍산마을의 기둥의 원주는 $75 \times 3.1 = 232.5$(cm)이고 지학마을의 기둥의 원주는 248 cm입니다.
따라서 지학마을의 기둥이 더 두껍습니다.

17 답 16 cm

큰 원의 지름은 $34.1 \div 3.1 = 11$(cm)이고 작은 원의 지름은 $15.5 \div 3.1 = 5$(cm)입니다.
따라서 두 원의 지름의 합은 $11 + 5 = 16$(cm)입니다.

18 답 13.5 cm

큰 원의 지름은 $54 \div 3 = 18$(cm)이고 반지름은 9 cm입니다.
(큰 원의 반지름)=(작은 원의 지름)이므로 작은 원의 지름은 9 cm이고 반지름은 4.5 cm입니다.
따라서 두 원의 반지름의 합은
$9 + 4.5 = 13.5$(cm)입니다.

18 원의 넓이

p. 83~85

> 교과서 + 익힘책 유형

01 (1) < (2) <
02 풀이 참조
03 32, 64
04 32, 60
05 254.34 cm^2
06 풀이 참조

> 교과서 + 익힘책 응용 유형

07 풀이 참조
08 342.26 cm^2
09 65.94 cm^2
10 452.16 cm^2
11 ㉢, ㉠, ㉡
12 109.9

> 잘 틀리는 유형

13 168 cm^2<(원의 넓이)<256 cm^2
14 정사각형 모양 피자, 22.5 cm^2
15 검은색의 넓이: 86.8 cm^2,
파란색의 넓이: 62 cm^2,
빨간색의 넓이: 37.2 cm^2,
노란색의 넓이: 12.4 cm^2
16 588 cm^2
17 288.88 cm^2
18 510 cm^2

02 답 풀이 참조

(마름모 ㅁㅂㅅㅇ의 넓이)$=\boxed{8}\times\boxed{8}\div 2$
$=\boxed{32}(cm^2)$

(정사각형 ㄱㄴㄷㄹ의 넓이)$=\boxed{8}\times\boxed{8}$
$=\boxed{64}(cm^2)$

03 답 32, 64

32 cm^2<(원의 넓이)
(원의 넓이)<64 cm^2
따라서 32 cm^2<(원의 넓이)<64 cm^2입니다.

04 답 32, 60

(작은 □의 넓이)$=6\times6-4=32(cm^2)$
(큰 □의 넓이)$=8\times8-4=60(cm^2)$
(작은 □의 넓이)<(원의 넓이)이고
(원의 넓이)<(큰 □의 넓이)이므로
어림하면 32 cm^2<(원의 넓이)<60 cm^2입니다.

05 답 254.34 cm^2

원의 넓이는 원을 한없이 잘게 잘라 이어 붙인 직사각형의 넓이와 같습니다.
따라서 원의 넓이는 $28.26\times9=254.34(cm^2)$입니다.

06 답 풀이 참조

(원의 넓이)$=(\boxed{\text{원주}})\times\frac{1}{2}\times$(반지름)
$=(\boxed{\text{원주율}})\times(\boxed{\text{지름}})\times\frac{1}{2}\times$(반지름)
$=(\boxed{\text{원주율}})\times$(반지름)$\times$(반지름)

07 답 풀이 참조

(원의 넓이)=(반지름)×(반지름)×(원주율)입니다.

반지름(cm)	원의 넓이 구하는 식	원의 넓이(cm^2)
8	$8\times8\times3.14$	200.96
7	$7\times7\times3.14$	153.86

08 답 342.26 cm^2

가의 넓이: $10\times10\times3.14=314(cm^2)$
나의 넓이: $3\times3\times3.14=28.26(cm^2)$
따라서 **가**의 넓이와 **나**의 넓이의 합은
$314+28.26=342.26(cm^2)$입니다.

09 답 65.94 cm^2

큰 원의 반지름은 5 cm이므로
큰 원의 넓이는 $5\times5\times3.14=78.5(cm^2)$이고
작은 원의 반지름은 2 cm이므로
작은 원의 넓이는 $2\times2\times3.14=12.56(cm^2)$입니다.
따라서 색칠한 부분의 넓이는
$78.5-12.56=65.94(cm^2)$입니다.

10 답 452.16 cm^2

(지름)$=75.36\div3.14=24$(cm)이므로 원의 반지름은 12 cm입니다.
따라서 원의 넓이는
$12\times12\times3.14=452.16(cm^2)$입니다.

11 답 ㉢, ㉠, ㉡

㉠ 원의 넓이는 $12\times12\times3.1=446.4(\text{cm}^2)$입니다.

㉡ 원주가 49.6 cm이므로 원의 반지름은
$49.6\div3.1\div2=8(\text{cm})$이고
원의 넓이는 $8\times8\times3.1=198.4(\text{cm}^2)$입니다.

㉢ 원의 반지름은 14 cm이므로
원의 넓이는 $14\times14\times3.1=607.6(\text{cm}^2)$입니다.

따라서 넓이가 큰 원부터 차례대로 기호를 쓰면
㉢, ㉠, ㉡입니다.

12 답 109.9

원주는 $10\times3.14=31.4(\text{cm})$이므로 ㉠$=31.4$입니다.

원의 넓이는 $5\times5\times3.14=78.5(\text{cm}^2)$이므로
㉡$=78.5$입니다.

따라서 ㉠+㉡$=109.9$입니다.

13 답 $168\text{ cm}^2<$(원의 넓이)$<256\text{ cm}^2$

정사각형의 넓이는 $16\times16=256(\text{cm}^2)$

정육각형의 넓이는 $6\times28=168(\text{cm}^2)$

(정육각형의 넓이)<(원의 넓이)<(정사각형의 넓이)
이므로 원의 넓이를 어림하면
$168\text{ cm}^2<$(원의 넓이)$<256\text{ cm}^2$입니다.

14 답 **정사각형 모양 피자**, 22.5 cm^2

(정사각형 모양 피자의 넓이)$=27\times27=729(\text{cm}^2)$

(원 모양 피자의 넓이)
$=15\times15\times3.14=706.5(\text{cm}^2)$

따라서 정사각형 모양의 피자가
$729-706.5=22.5(\text{cm}^2)$ 더 큽니다.

15 답 **검은색의 넓이:** 86.8 cm^2, **파란색의 넓이:** 62 cm^2, **빨간색의 넓이:** 37.2 cm^2, **노란색의 넓이:** 12.4 cm^2

노란색의 넓이는 반지름이 2 cm인 원의 넓이와 같습니다.

노란색의 넓이는 $2\times2\times3.1=12.4(\text{cm}^2)$
입니다.

빨간색의 넓이는 반지름이 4 cm인 원의 넓이에서 반지름이 2 cm인 원의 넓이를 뺀 값과 같습니다.

빨간색의 넓이는
$(4\times4\times3.1)-(2\times2\times3.1)$
$=49.6-12.4=37.2(\text{cm}^2)$
입니다.

파란색의 넓이는 반지름이 6 cm인 원의 넓이에서 반지름이 4 cm인 원의 넓이를 뺀 값과 같습니다.

파란색의 넓이는
$(6\times6\times3.1)-(4\times4\times3.1)$
$=111.6-49.6=62(\text{cm}^2)$
입니다.

검은색의 넓이는 반지름이 8 cm인 원의 넓이에서 반지름이 6 cm인 원의 넓이를 뺀 값과 같습니다.

검은색의 넓이는
$(8\times8\times3.1)-(6\times6\times3.1)$
$=198.4-111.6=86.8(\text{cm}^2)$
입니다.

16 답 588 cm^2

가로가 28 cm, 세로가 33 cm인 직사각형 모양의 종이 위에 그릴 수 있는 가장 큰 원은 지름이 28 cm인 원입니다.

따라서 그릴 수 있는 가장 큰 원의 넓이는
$14\times14\times3=588(\text{cm}^2)$입니다.

17 답 288.88 cm^2

(가면의 넓이)
=(반지름이 10 cm인 원의 넓이)
$-2\times$(반지름이 2 cm인 원의 넓이)

따라서 가면의 넓이는
$(10\times10\times3.14)-2\times(2\times2\times3.14)$
$=288.88(\text{cm}^2)$입니다.

18 답 510 cm^2

(색칠한 부분의 넓이)
$=\left\{\left(\text{반지름이 }\dfrac{20+14}{2}\text{ cm인 원의 넓이}\right)\div2\right\}$
$-\{(\text{반지름이 7 cm인 원의 넓이})\div2\}$
$+\{(\text{반지름이 10 cm인 원의 넓이})\div2\}$

따라서 색칠한 부분의 넓이는
$(17\times17\times3\div2)-(7\times7\times3\div2)$
$+(10\times10\times3\div2)=510(\text{cm}^2)$
입니다.

6 ::: 원기둥, 원뿔, 구

19 원기둥

p. 89~91

> 교과서 + 익힘책 유형

01 나	**02** 풀이 참조	**03** 7 cm
04 다	**05** 풀이 참조	**06** 풀이 참조

> 교과서 + 익힘책 응용 유형

07 풀이 참조	**08** 15 cm	**09** ①
10 9 cm	**11** ④	**12** ㉡

> 잘 틀리는 유형

13 풀이 참조	**14** 진우	**15** 79.08 cm
16 ①	**17** 7 cm	

01 답 나

위와 아래에 있는 면이 서로 평행하고 합동인 원으로 이루어진 입체도형을 원기둥이라고 합니다.
따라서 원기둥은 **나**입니다.

02 답 풀이 참조

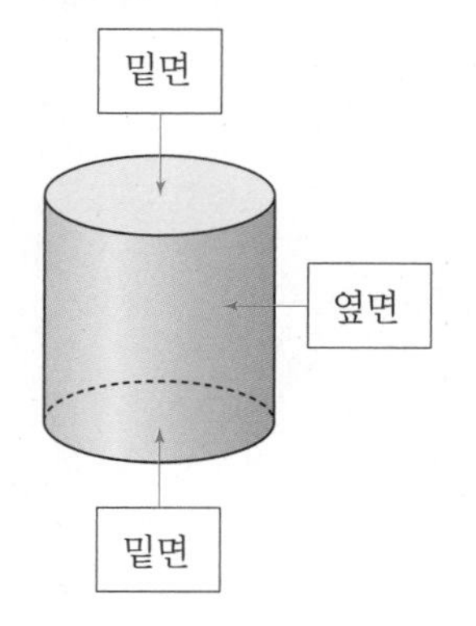

03 답 7 cm

직사각형 모양의 종이를 한 변을 기준으로 돌려 만든 입체도형은 원기둥입니다.
원기둥의 높이는 직사각형의 세로와 같습니다.
따라서 원기둥의 높이는 7 cm입니다.

04 답 다

원기둥에서 옆면의 모양은 직사각형이고 위와 아래에 있는 면이 합동인 원입니다.
가의 전개도는 옆면의 모양이 직사각형이 아니므로 원기둥을 만들 수 없습니다.
나의 전개도는 위와 아래에 있는 면이 합동이 아니므로 원기둥을 만들 수 없습니다.
따라서 원기둥을 만들 수 있는 전개도는 **다**입니다.

05 답 풀이 참조

선분 ㄱㄹ은 밑면의 [둘레]와 길이가 같고 선분 ㄹㄷ은 원기둥의 [높이]와 길이가 같습니다.

06 답 풀이 참조

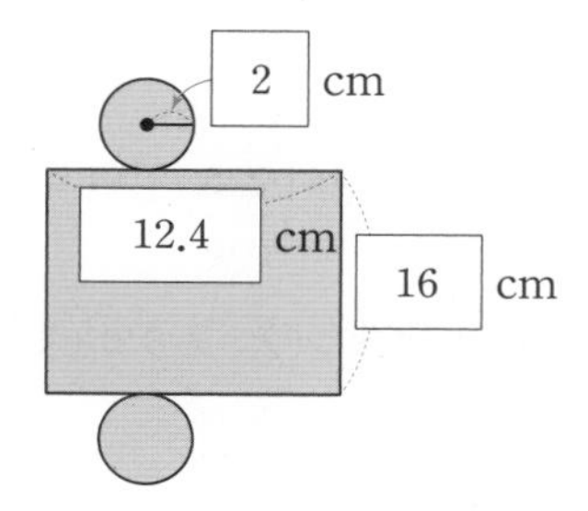

원기둥의 밑면의 반지름은 2 cm이고, 원기둥의 전개도에서 옆면의 가로의 길이는 원기둥의 밑면의 둘레와 같으므로 $2\times2\times3.1=12.4$(cm)입니다.
또한 원기둥의 전개도에서 옆면의 세로의 길이는 원기둥의 높이와 같으므로 16 cm입니다.

07 답 풀이 참조

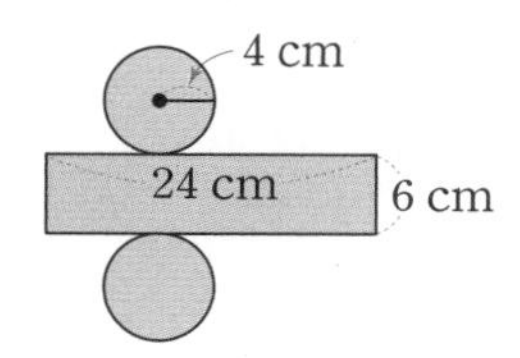

08 답 15 cm

왼쪽 원기둥의 높이는 9 cm이고 오른쪽 원기둥의 높이는 6 cm입니다.
따라서 두 원기둥의 높이의 합은 $9+6=15$(cm)입니다.

09 답 ①

원기둥은 옆면이 1개, 밑면이 2개입니다.
또한 원기둥의 옆면의 모양은 굽은 면이고, 밑면의 모양은 원이므로 꼭짓점이 없습니다.
따라서 원기둥에 대한 설명으로 옳은 것은 ①입니다.

10 답 9 cm

원기둥의 전개도에서 옆면의 가로의 길이는 밑면의 둘레와 같습니다.
(밑면의 반지름)$\times 2 \times 3 = 54$(cm)
따라서 원기둥의 밑면의 반지름은
$54 \div 2 \div 3 = 9$(cm)입니다.

11 답 ④

선분 ㄱㄴ은 원기둥의 높이입니다.
따라서 원기둥의 전개도에 대한 설명으로 옳지 않은 것은 ④입니다.

12 답 ㉡

각기둥의 밑면의 모양은 다각형이므로 옆면은 굽은 면이 아닙니다.
따라서 원기둥과 각기둥에 대해 잘못 설명한 것은 ㉡입니다.

13 답 풀이 참조

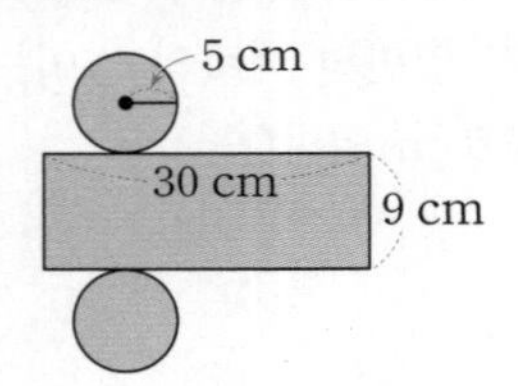

14 답 진우

원기둥은 위에서 본 모양이 원이고, 각기둥은 위에서 본 모양이 다각형입니다.
따라서 원기둥과 각기둥에 대해 잘못 설명한 친구는 진우입니다.

15 답 79.08 cm

원기둥의 전개도에서 옆면의 가로의 길이는 원기둥의 밑면의 둘레와 같으므로
$22 \times 3.14 = 69.08$(cm)입니다.
따라서 옆면의 가로와 세로의 길이의 합은
$69.08 + 10 = 79.08$(cm)입니다.

16 답 ①

원기둥을 옆에서 본 모양은 직사각형입니다.
따라서 원기둥의 전개도에 대한 설명으로 옳지 않은 것은 ①입니다.

17 답 7 cm

옆면의 가로의 길이는 밑면의 둘레와 같으므로
(옆면의 가로의 길이)$= 6 \times 3 = 18$(cm)입니다.
옆면의 넓이가 126 cm^2이므로 옆면의 세로의 길이는 $126 \div 18 = 7$(cm)입니다.
따라서 원기둥의 높이는 7 cm입니다.

20 원뿔과 구

p. 93~95

> 교과서 + 익힘책 유형

01 나, 라　**02** 풀이 참조　**03** 높이
04 다　**05** 12 cm
06 (위에서부터) ○, ○, ×

> 교과서 + 익힘책 응용 유형

07 풀이 참조　**08** 풀이 참조　**09** 슬기, 동현
10 밑면의 지름: 6 cm, 높이: 5 cm
11 3　**12** 5

> 잘 틀리는 유형

13 원기둥, 1 cm　**14** 지혜
15 7 cm　**16** 32　**17** ㉠, ㉡, ㉢
18 ⑤

01 답 나, 라
평평한 면이 1개이고 원이며 뾰족한 뿔 모양의 입체도형을 원뿔이라고 합니다.
따라서 원뿔을 모두 찾으면 **나**, **라**입니다.

02 답 풀이 참조

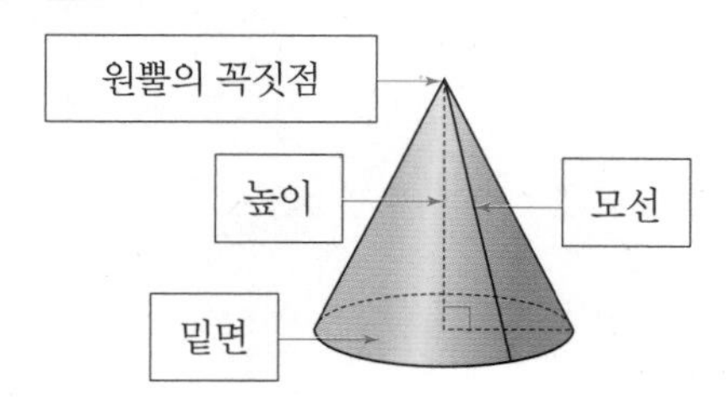

03 답 높이
삼각자를 꼭짓점에 맞추고, 자는 밑면의 0에 맞추어 삼각자와 자가 직각으로 만나는 눈금을 읽으면 원뿔의 높이를 알 수 있습니다.

04 답 다
공 모양의 입체도형을 구라고 합니다.
따라서 구는 **다**입니다.

06 답 (위에서부터) ○, ○, ×
구, 원기둥, 원뿔 모두 위에서 보면 원 모양입니다.
구, 원기둥, 원뿔을 앞에서 본 모양은 각각 원, 사각형, 삼각형입니다.

07 답 풀이 참조

도형	밑면의 모양	밑면의 수	위에서 본 모양	앞에서 본 모양
	육각형	1개	육각형	삼각형
	원	1개	원	삼각형

08 답

구를 앞에서 본 모양 ⇨ 원
원기둥을 앞에서 본 모양 ⇨ 사각형
원뿔을 앞에서 본 모양 ⇨ 삼각형

09 답 슬기, 동현
원뿔과 각뿔은 모두 밑면의 수가 1개이고, 옆에서 본 모양은 삼각형으로 같습니다.
각뿔은 밑면의 모양이 다각형이므로 굽은 면이 없습니다.
따라서 바르게 설명한 친구는 슬기, 동현입니다.

10 답 밑면의 지름: 6 cm, 높이: 5 cm
직각삼각형 모양의 종이를 한 변을 기준으로 돌려 만든 입체도형은 원뿔입니다.
이때 원뿔의 높이는 직각삼각형의 높이와 같고, 밑면의 지름은 (직각삼각형의 밑변의 길이)×2입니다.
따라서 원뿔의 밑면의 지름은 6 cm, 높이는 5 cm입니다.

11 답 3

원기둥은 **나**, **마**의 2개이므로 ㉠=2

원뿔은 **가**, **라**의 2개이므로 ㉡=2

구는 **다**의 1개이므로 ㉢=1

따라서 ㉠+㉡−㉢=2+2−1=3입니다.

12 답 5

구의 지름은 반원의 지름과 같으므로 10 cm입니다.

따라서 구의 반지름은 5 cm입니다.

13 답 **원기둥**, 1 cm

원기둥의 높이는 7 cm이고 원뿔의 높이는 6 cm입니다.

따라서 원기둥의 높이가 7−6=1(cm) 더 높습니다.

14 답 **지혜**

구와 원기둥, 원뿔을 옆에서 본 모양은 각각 원, 사각형, 삼각형입니다.

따라서 원기둥, 원뿔, 구에 대해 잘못 말한 친구는 지혜입니다.

15 답 7 cm

직각삼각형 모양의 종이를 한 변을 기준으로 돌려 만든 입체도형은 원뿔입니다.

이때 원뿔의 모선의 길이는 직각삼각형의 빗변의 길이와 같습니다.

따라서 원뿔의 모선의 길이는 7 cm입니다

16 답 32

원뿔의 밑면의 지름은 24×2=48(cm)이므로 ㉠=48

원뿔의 높이는 10 cm이므로 ㉡=10

원뿔의 모선의 길이는 26 cm이므로 ㉢=26

따라서 ㉠+㉡−㉢=48+10−26=32입니다.

17 답 ㉠, ㉡, ㉢

㉠ 원뿔에서 모선은 무수히 많습니다.

㉡ 원기둥은 밑면이 2개입니다.

㉢ 원뿔은 밑면이 1개입니다.

따라서 수가 큰 것부터 차례대로 기호를 쓰면 ㉠, ㉡, ㉢입니다.

18 답 ⑤

구를 앞에서 본 모양은 원이고, 원뿔을 앞에서 본 모양은 삼각형입니다.

따라서 설명이 옳지 않은 것은 ⑤입니다.